Petite vie
de
Jean-Marie Vianney
curé d'Ars

D1430990

DU MÊME AUTEUR

Aux éditions Desclée de Brouwer :

Un credo pour vivre (2ᶜ éd.), 1971.
Vivre Fidèle (3ᶜ éd.), 1973.
Vivre Dieu, 1977.
La vie du curé d'Ars (2ᶜ éd.), 1986.
Marie, servante et pauvre (2ᶜ éd.), 1987.
Petite vie de Thérèse de Lisieux (3ᶜ éd.).
Petite vie de saint Dominique, 1989.
Dites : Notre Père, 1991.
Petite vie de Jeanne de France, 1992.

En collaboration :

Dieu est Dieu, La parole de Dieu à la télévision I, Coll. Foi vivante, 1969.
Chrétiens dans le monde, La parole de Dieu à la télévision II, Coll. Foi vivante, 1969.
Demeurez en ma parole, Méditations et prières pour le Jour du Seigneur. Année A, 1980. Année B, 1981. Année C, Le Cerf, 1979.

Aux éditions du Cerf :

Le courage d'être chrétien (3ᶜ éd.), Coll. Foi vivante, 1978.
Sainte Marie (pour enfants), 1979.
Cinq chemins de croix selon les évangiles (2ᶜ éd.), 1982, avec Étienne Charpentier.

Chrétiens dans le monde : la parole de Dieu à la télévision avec Philippe Dagonet, Coll. Foi vivante.

MARC JOULIN

Petite vie
de
Jean-Marie Vianney
curé d'Ars

Desclée de Brouwer

Les photos qui illustrent cet ouvrage
sont de A. Mappus (droits réservés).

© Desclée de Brouwer, 1990
76 bis, rue des Saints-Pères, 75007 Paris
ISBN 2-220-03117-9
ISSN 0991-4439

En souvenir de l'abbé Bernard Nodet, archiviste d'Ars, qui m'écrivait à propos de la première édition de cet ouvrage : « Parmi tous les textes que j'ai lus depuis plusieurs mois sur le saint curé, le vôtre est certainement le meilleur. »

M. J.

Étonnant curé

Vers 1830, le village d'Ars — à quarante kilomètres au nord de Lyon — compte environ 230 habitants. Un pèlerinage s'y est formé qui attire chaque jour une foule de visiteurs. En 1834, on a pu compter à Ars environ trente mille pèlerins.

Pourquoi cet afflux ? Il n'y a pas à Ars d'apparitions de la Sainte Vierge comme il y en aura à La Salette en 1846, ou à Lourdes en 1858... Non, il n'y a qu'un curé et les pèlerins n'ont d'autre but que de le rencontrer et surtout de se confesser à lui. Pour cela, ils acceptent d'attendre des heures, parfois toute la nuit.

Ce prêtre s'appelle Jean-Marie Baptiste Vianney. Il vit avec une extrême austérité. On raconte qu'il est souvent en butte aux persécutions du démon. Certains chuchotent qu'il est capable de faire des guérisons miraculeuses, d'autres prétendent qu'il voit la Sainte Vierge. Ce qui est sûr, c'est que par son exemple et sa parole, il a fait de son village une communauté fervente et exemplaire.

Comment la réputation de Jean-Marie a-t-elle dépassé Ars et s'est-elle répandue à l'extérieur ? On peut être le curé estimé d'un petit village, autre chose est de devenir en quelques années le plus célèbre des prêtres de France... C'est toute une aventure de foi, de prière et de grâce.

Un enfant pendant la Révolution
(1786-1806)

Jean-Marie Vianney est né le 8 mai 1786 à Dardilly, village situé à une dizaine de kilomètres au nord de Lyon. Son père, Mathieu Vianney, est propriétaire d'une douzaine d'hectares qu'il cultive lui-même. Avec son épouse Marie, ils ont sept enfants. Jean-Marie est le quatrième. Il est baptisé le jour même de sa naissance.

En 1793, Lyon se soulève contre la Convention. Les troupes républicaines assiègent la ville durant deux mois. Lorsque Lyon capitule, les conventionnels Collot d'Herbois et Fouché noient dans le sang la révolte populaire. L'hiver 1793-1794, la répression est terrible. La guillotine fonctionne chaque jour.

Dardilly demeure relativement à l'écart des troubles. L'abbé Jacques Rey, curé de la paroisse depuis quarante ans, prête les serments exigés par les autorités sans que les fidèles s'en offusquent.

Mais, en 1794, la persécution religieuse s'aggrave et l'église est fermée.

D'après le témoignage de sa sœur Marguerite, Jean-Marie, dès l'âge de quatre ans, aime fréquenter l'église. Quand elle devient inaccessible, il continue à prier autant qu'il le peut. Il garde les bêtes avec d'autres enfants du village, et souvent il s'isole pour prier. Chez ses parents, chaque soir, on continue de réciter les prières habituelles. Plus tard, il dira : « J'étais bien heureux dans la maison de mon père, lorsque je menais paître mes brebis et mon âne ; j'avais du temps pour prier le Bon Dieu, pour méditer, pour m'occuper de mon

Maison natale de Jean-Marie Vianney.

âme. Dans l'intervalle des travaux de la campagne, je faisais semblant de me reposer et de dormir comme les autres, et je priais Dieu de tout mon cœur ; c'était le bon temps et que j'étais heureux ! »

Après la tragédie de Lyon, d'innombrables chemineaux et autres proscrits mendient leur pain de ferme en ferme. Ils sont bien reçus chez les Vianney. Jean-Marie aime beaucoup aider ses parents à les accueillir. Un de ses compagnons d'alors raconte : « Je me rappelle l'avoir vu porter du bois aux pauvres. Il chargeait l'âne qui devait le porter autant qu'il le pouvait. »

Pièce principale (cuisine avec alcôve).

Durant l'été 1795, l'église est rouverte, le vieil abbé Jacques Rey y officie à nouveau. Mais ses paroissiens se sont divisés. Des prêtres réfractaires circulent clandestinement et dénoncent aux fidèles leur curé comme « jureur » et schismatique. La famille Vianney renonce à suivre ses offices et accueille chez elle des prêtres pourchassés. C'est à l'un d'eux que Jean-Marie va se confesser pour la première fois. Ses parents souhaitent qu'il se prépare à sa première communion et l'envoient chez son oncle Humbert, à Écully, un bourg situé à six kilomètres. Là, deux anciennes religieuses font en secret le catéchisme aux enfants, tout en leur donnant aussi quelques leçons d'écriture et de lecture. Jean-Marie a treize ans, et non seulement il ne sait ni lire ni écrire, mais il ne connaît guère non plus le français puisqu'à la ferme on parle le patois de la région.

Un prêtre audacieux, l'abbé Groboz, missionne dans tout le pays au risque de sa vie. Durant l'été 1799, il admet à la communion un groupe d'une quinzaine d'enfants, dont Jean-Marie. La cérémonie se déroule dans une chambre d'une maison d'Écully. L'on avait eu soin de conduire devant la fenêtre une énorme charrette de foin afin d'écarter tout soupçon. Jean-Marie est impressionné par ces circonstances périlleuses et l'exemple de l'abbé Groboz, avec son courage intrépide, le touche en profondeur. Plus tard, son premier biographe, l'abbé Monnin, notera : « Je l'ai

L'été 1799, Jean-Marie Vianney est admis à la première communion au cours d'une célébration clandestine dans cette maison d'Écully.

entendu dire que le désir d'être prêtre lui était venu de bonne heure par la rencontre qu'il fit d'un confesseur de la foi. »

En 1802, l'abbé Jacques Rey, par décision du nouvel archevêque de Lyon, le cardinal Fesch — oncle du futur empereur — se retrouve curé légitime de Dardilly. La famille Vianney reprend le chemin de l'église paroissiale. Bientôt un nouveau curé, l'abbé Jacques Fournier, remplace M. Rey obligé par l'âge à se retirer. Intelligent et actif, l'abbé Fournier se préoccupe de l'instruction des enfants. Depuis le début de la Révolution, la commune n'avait plus d'instituteur. Avec l'aide de la municipalité, une école s'ouvre et il s'y présente non seulement des enfants, mais aussi de grands jeunes gens dont Jean-Marie. Pendant deux hivers, sûrement pas plus de quatre mois chaque année, car il travaille aux champs dès que le temps le permet, il vient apprendre à lire, écrire, compter, s'exprimer en français. Tout naturellement il devient un familier de l'abbé Fournier et peu à peu grandit en lui le désir de devenir prêtre. Son père s'oppose d'abord vivement à ce projet : la ferme a besoin de bras solides, et qui paiera les études et la pension du jeune homme ?

Cependant Jean-Marie insiste et son père cède enfin à ses instances. Marguerite rapporte : « Quand il vit que mon frère persistait dans sa résolution, il donna son consentement, et pour que les dépenses fussent moins considérables, on proposa de le faire étudier chez M. Balley, curé d'Écully. »

A l'automne 1806, Jean-Marie quitte Dardilly pour s'installer à Écully chez son oncle Humbert. Il a vingt ans. Il sait lire, mais à peine écrire, et ne s'exprime en français qu'avec un vocabulaire restreint. Il faut maintenant qu'il apprenne le latin, langue dans laquelle à l'époque non seulement on célèbre la liturgie, mais encore se font toutes les études théologiques nécessaires à un futur prêtre.

Le latin difficile
(1806-1809)

L'abbé Charles Balley était devenu curé d'Écully en 1803. Ce prêtre était un ancien religieux, chanoine régulier de Saint-Augustin. Après la dissolution forcée de son ordre, il avait rejoint un groupe de prêtres réfractaires de Lyon et s'était lancé courageusement dans un ministère clandestin. C'était un homme instruit, fervent et austère.

En 1806, M. Balley avait accepté de recevoir chez lui un jeune Lyonnais de quinze ans, Mathias Loras, en se chargeant de lui donner un complément d'instruction qui le rende apte à entrer au séminaire. Le père de Mathias avait été guillotiné et, durant la tourmente révolutionnaire, sa mère avait caché M. Balley. Il ne pouvait guère lui refuser ce service. A l'époque, il n'était en effet pas rare qu'un curé se charge de la préparation de quelque aspirant au sacerdoce. Mais le curé d'Écully avait une lourde charge paroissiale, et accepter un second élève lui paraissait difficile. Jeune citadin remarquablement doué, Mathias travaillait avec aisance ; il deviendra d'ailleurs professeur, supérieur de séminaire et évêque. Tandis que le pauvre Jean-Marie n'était qu'un paysan non dégrossi ; il avait vingt ans et était presque illettré ; était-ce raisonnable de l'engager sur une route qui avait toutes chances de se révéler pour lui une impasse ? Cependant, M. Balley accepta une entrevue avec lui. Catherine Lassagne — qui fut plus tard la confidente du curé d'Ars — rapporte qu'à la fin de l'entretien : « M. Balley fixa sur lui son regard et, quand il l'eut considéré quelques instants, il dit : "Pour celui-là, je le prendrai. Je me sacrifierai pour lui, s'il le faut." »

Durant trois années, Jean-Marie étudie surtout le français et le latin. Il a peu de mémoire, il apprend lentement, mais il n'est point sot, et il comprend bien ce qu'on lui explique patiemment, dans un langage proche du sien.

Il travaille de toutes ses forces. Ses résultats sont cependant bien modestes. Il décide d'aller en pèlerinage à La Louvesc prier sur la tombe de saint François Régis, apôtre du Vivarais, dont on dit qu'il obtient de Dieu toutes sortes de grâces. Jean-Marie ira lui demander d'ouvrir son intelligence à l'étude, et plus spécialement de l'aider à retenir le latin. Pour donner plus de valeur à sa démarche, il fait vœu, non seulement de parcourir à pied la centaine de kilomètres qui séparent

Écully de La Louvesc, mais en plus, de mendier son pain tout au long de la route. Hélas ! le jeune homme n'est pas un mendiant habile... Il arrive au terme du pèlerinage épuisé et mourant de faim. Bien plus tard, il pourra dire : « Je n'ai mendié qu'une fois dans ma vie, je m'en suis mal trouvé. C'est là que j'ai connu qu'il valait mieux donner que demander. »

Déserteur
(1809-1811)

A l'automne 1809 la vie studieuse du jeune Vianney est brutalement interrompue : il est appelé à l'armée.

Il faisait partie de la classe 1806. Mais le tirage au sort en usage pour la conscription l'avait exempté. En 1809, Napoléon est menacé de toutes parts. Il est engagé dans la guerre d'Espagne. Il affronte en même temps la Prusse et l'Autriche — 1809 est l'année d'Eckmül et de Wagram. L'empereur réclame des soldats. Les conscrits des années précédentes épargnés par le tirage au sort sont convoqués.

La conscription présente alors pour beaucoup de jeunes catholiques un véritable cas de conscience. Les déserteurs sont nombreux, et le département du Rhône est l'un de ceux qui en comptent le plus. Le conflit entre Pie VII et Napoléon atteint son paroxysme, l'empereur a envahi les États pontificaux, le Pape l'a excommunié, et Napoléon a fait arrêter le chef de l'Église. Les catholiques peuvent-ils servir un empereur excommunié et sacrilège ? Dans le Lyonnais, la plupart des paysans restent attachés à la royauté, et beaucoup d'anciens prêtres réfractaires, comme M. Balley, sont opposés à l'empire. On a dû évoquer maintes fois ces problèmes au presbytère d'Écully. M. Balley avait vécu des années hors-la-loi. Pourquoi son élève devrait-il redouter d'en faire autant si cela s'avérait nécessaire ?

A peine incorporé, le soldat Vianney tombe malade. Il est hospitalisé une quinzaine de jours à l'Hôtel-Dieu de Lyon.

Rétabli, il part pour Roanne avec un détachement de son régiment. En décembre, il est repris par la fièvre et est admis à l'hôpital de Roanne où il reste jusqu'au 6 janvier 1810. Il gardera toute sa vie un souvenir chaleureux de la façon dont les sœurs l'ont soigné et soutenu. Sans hésitation, elles lui conseillent de déserter ; il leur répond : « Il faut bien que j'obéisse à la loi, mes bonnes sœurs ! » Cependant il est ébranlé, désemparé et hésitant. Il doit rejoindre son corps à Bayonne et de là entrer en Espagne où les troupes françaises se heurtent à une résistance acharnée.

A sa sortie de l'hôpital, il va chercher sa feuille de route. Ses camarades sont partis depuis plusieurs jours et il doit les rejoindre avec un seul

L'hôpital de Roanne où fut soigné Jean-Marie Vianney.

compagnon. Que se passe-t-il alors ? Voici le récit de Jérôme Fayot, chez qui il va se réfugier : « M. Vianney était tombé malade en arrivant à Roanne. Lorsqu'il fut rétabli, on lui donna sa feuille de route pour aller rejoindre son corps ; il se trouvait en compagnie d'un nommé Guy, de Saint-Priest-la-Prugne, conscrit comme lui. Ils se concertèrent pour ne pas rejoindre leur corps. M. Vianney témoignait ses craintes d'être arrêté. Guy le rassura en lui disant : ''Je connais le pays : il y a beaucoup de bois ; nous trouverons à nous cacher et à travailler ; suivez-moi sans inquiétude.'' Guy le conduisit directement jusqu'au hameau des Robins, commune des Noës. »

Aux Noës, dans les montagnes du Forez, Jean-Marie s'adresse au maire qui le cache chez une brave femme restée veuve avec plusieurs enfants : Claudine Fayot. Pour elle, Jean-Marie prend la place d'un fils aîné. Il s'occupe des petits et leur donne des leçons de lecture et d'écriture. D'autres enfants du village se joignent à eux. L'humble élève de M. Balley devient instituteur et ne se débrouille pas si mal ! Au printemps et durant l'été, il prend sa large part des travaux de la ferme. Petit de taille — pas plus d'un mètre cinquante-huit — il est vigoureux et n'hésite pas devant les plus rudes travaux.

Au début, il reste caché dans la ferme. Il ne va même pas à la messe le dimanche, car il y a beaucoup d'affluence et il craint de provoquer des questions indiscrètes. Par contre, en semaine, il se rend à l'église, le curé devient son ami et, après lui, beaucoup de gens du village. Assez souvent des gendarmes visitent la région, mais personne ne dénonce le déserteur.

En mai 1810, Claudine Fayot se rend à Dardilly pour avoir des nouvelles de la famille Vianney et lui en donner de Jean-Marie. Là-bas, tout va mal. L'autorité militaire a perquisitionné pour retrouver le déserteur. Mathieu Vianney a dû payer de grosses amendes. Il ne décolère pas contre son fils responsable de tant de maux. Claudine essaie, en vain, de le calmer. Elle rencontre aussi M. Balley qui lui dit : « Jean-Marie ne sera jamais soldat, mais prêtre. » De retour aux Noës, elle rapporte cette parole au jeune homme qui décide de ne pas quitter son refuge.

Enfin, au mois d'août, une lettre de Dardilly lui

La ferme des Robins, commune des Noës, où se cacha Jean-Marie Vianney.

annonce que sa situation militaire est réglée. Son jeune frère Jean-François a tiré un bon numéro, mais il s'offre à remplacer son aîné et part en Allemagne. Il disparaîtra sans qu'on sache dans quelles circonstances, en 1813. Toute sa vie, Jean-Marie pleurera ce frère, d'une certaine façon mort à sa place.

En mars 1811, après quatorze mois de séjour, il quitte les Noës et il rejoint à Écully son maître, M. Balley.

Ce sera un bon prêtre
(1811-1815)

En ce printemps 1811, M. Balley accueille avec
joie son élève. Mathias Loras n'est plus à Écully,
il est entré au Grand Séminaire de Lyon. M. Balley ne laisse pas Jean-Marie chez son oncle Humbert, il le loge dans son presbytère. Trois mois
après son retour, il le présente à l'évêché comme
candidat au sacerdoce. Il se porte garant auprès
du vicaire général, son ami l'abbé Courbon, sinon
de la science de son protégé, du moins de ses bonnes dispositions. En conséquence, Jean-Marie
revêt une soutane, taillée et cousue avec amour
par Claudine Fayot et ses amies des Noës, et, le
28 mai 1811, en la cathédrale Saint-Jean, il est
admis à la cérémonie de la tonsure qui en fait un
clerc du diocèse de Lyon.

Il demeure à Écully près de dix-huit mois,
jusqu'à la Toussaint 1812, date à laquelle il est
reçu au séminaire de Verrières dans les monts du

Forez où il devrait suivre deux années de philosophie avant d'aborder la théologie à Lyon. La mauvaise humeur de Napoléon vis-à-vis de l'Église l'a conduit à faire fermer nombre d'établissements ecclésiastiques, et Verrières est surpeuplé : deux cent trente-deux élèves dans des bâtiments trop petits avec seulement une demi-douzaine de professeurs. Jean-Marie Vianney n'est pas le seul élève dont les études ont été faites de façon bien irrégulière en ces temps troublés. Dix élèves sont plus âgés que lui, et environ vingt-cinq sont à peu près de son âge.

Cette année se passe assez mal, non seulement pour lui, mais aussi pour beaucoup de ses condisciples. Les responsables du séminaire décident que les élèves les moins doués seront dispensés de la deuxième année de philosophie.

Après trois mois d'été passés à Écully, Jean-Marie entre donc à la Toussaint 1813 au Séminaire Saint-Irénée, à Lyon. Tous les cours sont donnés en latin. Jean-Marie est tout de suite submergé : il ne comprend rien. Au bout d'un mois, son premier examen — où il doit répondre en latin lui aussi — le disqualifie complètement. Il a écopé de la note « d » qui, selon le code des professeurs, signifie « déficient au dernier degré ». Le registre du séminaire porte cette simple mention : renvoyé chez son curé le 9 décembre.

La décision ne signifie cependant pas une exclusion définitive. Si son curé réussit à lui inculquer un minimum de théologie, on pourra revoir son cas. M. Balley se remet au travail avec son élève, et, patiemment, il le fait étudier en français et non pas en latin. A la fin de l'année scolaire, il obtient de le faire interroger par un seul examinateur, dans la cadre familier du presbytère d'Écully et, bien sûr, en français. Jean-Marie répond clairement et avec bon sens. Il est admis et, le 2 juillet 1814, il est ordonné sous-diacre.

Les temps sont politiquement agités. Napoléon a abdiqué le 20 avril 1814, mais il débarque de l'île d'Elbe le 26 février 1815. Cependant, durant cette année, Jean-Marie continue à étudier chez M. Balley. Il est ordonné diacre à Lyon, le 23 juin 1815. Après un dernier examen passé en privé, le vicaire général Courbon lui aurait dit : « Vous en savez autant — et même plus — que la plupart des curés de campagne. » M. Balley a proposé qu'après son ordination, le jeune prêtre lui soit confié comme vicaire. Il pourra ainsi compléter ses études théologiques et se préparer au ministère. Il est entendu qu'il ne confessera pas tout de suite et que, pour commencer, il se limitera à faire le catéchisme aux enfants.

Le cardinal Fesch, oncle de l'empereur, compromis politiquement, a dû quitter son diocèse en mai 1815 et se réfugier à Rome. L'abbé Vianney sera ordonné prêtre par Mgr Simon, évêque de Grenoble. Après la bataille de Waterloo (18 juin), la région est envahie par les troupes autrichiennes. Jean-Marie se rend à pied à Grenoble. Il est interpellé plusieurs fois par des Autrichiens menaçants. Mais il arrive cependant à bon port, et le dimanche 13 août il est ordonné prêtre. Il est le seul ordinand et comme quelqu'un fait remarquer à Mgr Simon qu'il s'est bien fatigué pour cet unique candidat, l'évêque lui répond : « Ce n'est pas trop de peine pour ordonner un bon prêtre. »

Autel du grand séminaire de Grenoble où Jean-Marie Vianney célébra sa première messe le 13 août 1815 (actuellement à la Visitation de Vif).

Paroles sur le prêtre

Si on avait la foi, on verrait Dieu caché dans le prêtre comme une lumière derrière son verre, comme un vin mêlé avec de l'eau.

On doit regarder le prêtre lorsqu'il est à l'autel et en chaire comme si c'était Dieu lui-même.

Oh ! que le prêtre est quelque chose de grand ! S'il se comprenait, il mourrait... Dieu lui obéit : il dit deux mots et Notre-Seigneur descend du ciel.

On ne comprendra le bonheur qu'il y a à dire la messe que dans le ciel !

Le prêtre n'est pas prêtre pour lui. Il ne se donne pas l'absolution. Il ne s'administre pas les sacrements. Il n'est pas pour lui, il est pour vous.

Si un prêtre venait à mourir à force de travaux et de peines endurés pour la gloire de Dieu et le salut des âmes, cela ne serait pas mal.

Le vicaire d'Écully
(1815-1818)

Écully était un gros bourg d'environ mille cinq cents habitants. Depuis douze ans, M. Balley avait travaillé avec énergie pour restaurer la paroisse désorganisée par la Révolution. On rapporte : « Il menait sa paroisse tambour battant, rappelant chacun au devoir, imposant parfois à ses ouailles, avec une rudesse à l'ancienne mode, la discipline de l'Église. »

La vie au presbytère est réglée comme dans un couvent austère. Des heures sont fixées pour la prière et le travail. Le silence est habituel, même pendant les repas. Et les deux prêtres rivalisent dans la mortification et la prière. Les repas sont tellement sobres que certains paroissiens s'en émeuvent et alertent le vicaire général Courbon. A cette démarche, celui-ci répond avec quelque malice : « Vous êtes bien heureux que votre vicaire et votre curé fassent pénitence pour vous. »

M. Balley persévérait dans les habitudes de pénitence monastique qu'il avait prises lorsqu'il était religieux. Non seulement il jeûnait mais encore, souvent il se frappait les épaules avec une discipline composée d'une chaînette de fer et il portait un gilet de crin rugueux caché sous sa chemise. L'abbé Vianney suivait avec ardeur un tel exemple et, avec la vigueur de sa jeunesse, il dépassait son maître sur le chemin de la mortification corporelle. De tels comportements nous étonnent aujourd'hui, et sans doute M. Balley et son disciple manquaient-ils de mesure dans leur générosité. Par la suite, Jean-Marie Vianney découvrira que la pénitence n'est qu'un moyen — auquel il restera cependant fidèle toute sa vie — et bien davantage a compté pour lui l'amour fraternel prodigué chaque jour à tous ceux qui croiseront son chemin.

Le jeune prêtre commence à instruire les enfants du catéchisme. Toute sa vie il aimera parler aux enfants. Son esprit pratique et son sens des images et des comparaisons prises dans la vie de tous les jours l'aident à trouver un langage proche du leur, émaillé de mots prononcés dans le patois qui leur est familier. Un an après son ordination, il reçoit la permission de confesser. Son premier pénitent est l'abbé Balley qui lui manifeste ainsi son estime. Le curé confie progressivement à son adjoint des tâches pastorales plus importantes, lorsqu'au début de 1817, il tombe gravement malade. Jean-Marie doit prendre en charge la totalité du service paroissial.

Le plus redoutable pour le jeune prêtre est la prédication du dimanche. A l'époque, on prêche longtemps : quarante-cinq minutes ou même une heure. M. Balley parlait avec aisance et se faisait bien écouter de ses paroissiens. Jean-Marie a plus de difficultés. Pour aider son vicaire, le curé lui donne des recueils de sermons des meilleurs auteurs de l'époque. Beaucoup de curés se contentaient de lire en chaire un de ces textes. Jean-Marie ne se satisfait pas de cette méthode. Il retaille dans les textes, juxtapose à sa façon divers passages d'auteurs différents et, puisqu'il lit mal, il apprend par cœur et récite comme il peut ce qu'il a ainsi préparé. Un témoin rapporte : « Il m'a dit qu'une seule instruction lui avait coûté quinze jours de travail, sans compter le temps qu'il mettait pour l'apprendre. » Le résultat de tant d'efforts n'est pas brillant, et ce d'autant plus qu'il n'aura jamais une voix bien posée ; elle restera toujours un peu haute et éraillée. Mais l'auditoire est indulgent pour le jeune prêtre dont il admire par ailleurs tant de qualités.

En décembre 1817, l'état de santé de M. Balley s'aggrave. Son vicaire lui donne les derniers sacrements et l'assiste jusqu'au bout.

Peu après, Jean-Marie Vianney est appelé par le vicaire général Courbon, un des rares qui aient compris de quelle étoffe était fait ce jeune abbé réputé ignorant. Il lui annonce qu'il lui confie le village d'Ars-en-Dombes. La décision de l'administration diocésaine est datée du 11 février 1818.

L'église d'Écully après la révolution.

Que c'est petit, Ars !
(1818)

Au début du XIXᵉ siècle, la Dombes est une région déshéritée. Elle est parsemée d'étangs et elle a en conséquence un climat humide et malsain. Les terres sont peu fertiles et beaucoup de gens sont non seulement pauvres mais misérables. C'est peut-être parce qu'il connaît la générosité de Jean-Marie Vianney que le vicaire général lui propose le service pastoral de la commune d'Ars-en-Dombes qui n'a que 230 habitants.

A Ars, avant la Révolution, tout le monde fréquente la vieille église qui se tient depuis des siècles au centre du village. C'est un édifice de vingt mètres de long sur six de large, assez semblable à une grange, à l'exception d'un clocher carré et d'une petite abside romane. Au moment des lois anti-religieuses, les habitants s'arrangent pour racheter et sauver une partie du mobilier, mais ils ne peuvent éviter la confiscation des cloches et la destruction de la partie haute du clocher.

Un ancien chartreux, prêtre réfractaire, M. Lecourt, parcourt la région et célèbre clandestinement la messe dans une ferme isolée. Quand la paix est revenue, il célèbre dans l'église d'Ars jusqu'en 1804. Mais il envoie à l'évêché un rapport sévère : « Il n'y a que les femmes, les filles et les enfants à qui j'ai fait faire la première communion qui fréquentent les sacrements. Tous les hommes — soit maîtres, soit domestiques — s'en tiennent constamment éloignés. Ils sont néanmoins assez assidus aux offices... Enseigner le catéchisme aux enfants devient très pénible à raison de la stupidité et de l'incapacité de ces êtres dont la majeure partie n'ont rien qui les distingue des animaux que le baptême. »

Château d'Ars.

A l'ancien chartreux succède un jeune prêtre, M. Berger, dont l'influence est sérieuse sur quelques familles. Mais le grand nombre se contente d'une religion médiocre et sans grande influence sur la vie quotidienne. Les rivalités et les divisions sont nombreuses. On travaille beaucoup et, parce que la pauvreté menace toujours, on est souvent âpre au gain et sans ménagement pour les miséreux, les enfants qui sont mis au travail très jeunes, ou les vieillards gardés à la ferme, mais sans tendresse...

Les jeunes fréquentent assidûment les « vogues » et les assemblées de fête où l'on danse fort tard dans la nuit, aussi bien à Ars que dans les villages proches. Cela paraît aujourd'hui assez anodin. En fait, la liberté des mœurs est grande. La place où l'on danse est bordée de granges dans lesquelles les soirs de fête, les jeunes audacieux s'efforcent d'entraîner leurs compagnes, et pas toujours sans succès...

Le dimanche, le grand pôle d'attraction des hommes est le cabaret. Il est situé au bord de la petite place qui s'étend au chevet de l'église et que l'on appelle le « plâtre ». Le tenancier, nommé Bachelard, est le principal organisateur des bals qui ont lieu justement sur le plâtre. La plupart des paysans, en semaine, ne boivent que de l'eau. Le dimanche, lorsqu'ils se réunissent au café, ils prennent du vin — ou même de l'eau-de-vie — et l'effet se fait sentir rapidement, au grand mécontentement de leurs épouses ! Malgré ces ombres, on ne peut retenir le jugement de M. Lecourt sur Ars. Le village n'est ni meilleur ni pire que la plupart de ceux de la région.

Le vendredi 13 février 1818, Jean-Marie Vianney arrive à Ars. Une carriole, conduite par un de ses anciens paroissiens d'Écully, le transporte avec le modeste héritage que lui a légué M. Balley : quelques meubles et ustensiles de ménage, quelques gravures pieuses, et surtout une bibliothèque de plus de trois cents volumes...

Sur la carriole est aussi installée une vieille amie du presbytère d'Écully, la bonne veuve Bibost. Elle entretenait déjà la maison et le linge de M. Balley et de son élève. Elle s'est proposée pour accompagner Jean-Marie jusqu'à Ars, afin de l'aider à s'installer dans son nouveau presbytère.

La distance d'Écully à Ars est d'environ quarante kilomètres : une journée de route. Un petit berger, Antoine Givre, alors âgé d'une dizaine d'années, a raconté que les voyageurs se sont arrêtés près de lui pour s'enquérir du chemin. Mais, première difficulté, l'enfant ne sait pas le français et le patois d'Ars diffère notablement de celui d'Écully. On finit cependant par se comprendre. Et la tradition ajoute que le jeune prêtre dit à l'enfant : « Tu m'as montré le chemin d'Ars, je te montrerai le chemin du ciel. » Une telle prédiction nous semble un peu emphatique, mais elle se situe assez bien dans le ton romantique de l'époque ; et il est exact qu'Antoine Givre est mort quelques jours après son curé. Un petit monument de bronze, à l'entrée du village, rappelle cette rencontre.

De cet endroit, Jean-Marie peut apercevoir sa paroisse, serrée autour de son église. Il a raconté plus tard qu'une « idée baroque » lui était venue : « Que c'est petit ! » Catherine Lassagne raconte qu'il s'est mis à genoux afin de prier pour sa si petite paroisse. Encore n'a-t-il pas dû retarder bien longtemps son modeste équipage, d'autant plus qu'en cette saison la nuit tombe vite. Le maire, Antoine Mandy, et son adjoint, Michel Cinier, arrivent pour l'accueillir, et tout le monde se dirige vers le presbytère.

Celui-ci est constitué par une assez vaste maison, avec un étage, et elle est précédée par un petit jardin. Il y a deux pièces au rez-de-chaussée et trois chambres à l'étage. Le tout est bien garni avec des meubles fournis aux curés précédents par les châtelains du lieu.

Arrivé un vendredi soir, c'est donc le dimanche suivant que le jeune desservant d'Ars prend un premier contact avec l'ensemble de sa paroisse. Tout le village s'est rassemblé à l'église pour la grand'messe, sinon par dévotion, du moins par curiosité : à cette époque, dans une commune aussi petite, l'arrivée d'un nouveau curé fait figure d'événement. Mais, très vite, le comportement du prêtre va exciter bien davantage les curiosités et alimenter les commérages avant de provoquer un profond mouvement d'admiration et même d'affection sincère parmi tous ceux qui l'approchent.

Il faut du pain, mais peu

Quelques jours après son arrivée, le nouveau curé demande à la châtelaine, Mademoiselle des Garets, de reprendre les meubles du presbytère. Lui-même ne garde que le strict nécessaire : une table et quelques chaises dans la cuisine, un lit pour lui avec une paillasse dans une des chambres et un autre lit pour ses hôtes éventuels, quelques armoires pour ranger son peu de linge et surtout ses livres, avec une petite table pour écrire. Le presbytère prend alors l'allure misérable qu'on peut encore lui voir aujourd'hui.

Après le départ de la mère Bibost, le ménage sera fait de temps en temps par une voisine, veuve elle aussi, Claudine Renard. Son modeste logis, où elle vit avec sa fille Anne, est accolé au presbytère. Son fils, Jean-François, âgé alors d'une vingtaine d'années, est séminariste à Lyon. Elle s'offre à servir son curé autant qu'il voudra bien avoir recours à ses soins. Il accepte qu'elle lave son linge et donne parfois un coup de balai. Mais pour l'ordinaire, Jean-Marie fait sa cuisine lui-même. Il n'y a que deux plats à son menu. Tantôt il fait bouillir des pommes de terre qu'il conserve ensuite dans un panier à claire-voie pour qu'elles s'égouttent et ne moisissent pas trop vite. Tantôt il demande à Claudine Renard de lui préparer quelques « matefaims », sortes de grosses crêpes en farine de blé noir, habituelles chez les paysans de la région, et qu'il fait réchauffer dans sa poêle. Avec un peu de pain et un verre d'eau, cela lui suffit, et encore ne mange-t-il qu'en bien petite quantité. A son arrivée, le carême commence, et en continuité avec les convictions acquises à Écully, il a décidé de jeûner autant qu'il le pourra jusqu'à Pâques.

Il est étonnant qu'un tel régime, qu'il va continuer pendant des années, ne l'ait pas rapidement épuisé, et cela ne s'explique que par une constitution très robuste. Il dira lui-même : « J'ai un bon cadavre. Après que j'ai mangé n'importe quoi, que j'ai dormi deux heures, je peux recommencer. » A Catherine Lassagne, il a confié : « J'avais bientôt préparé mon dîner. Je faisais trois ''matefaims''. Pendant que je préparais le second, je mangeais le premier ; en faisant le troisième, je mangeais le second ; je mangeais le troisième en rangeant ma poêle et mon feu. Je buvais un bassin d'eau, et je m'en allais, et j'en avais pour deux ou trois jours. »

Et d'ajouter : « On exagère ! Le plus que j'ai fait, c'est de passer huit jours avec trois repas. » A un autre ami, il avoue : « Le pain est nécessaire à l'homme. Oui, j'ai essayé de m'en passer, mais je ne pouvais plus y tenir, j'étais trop délabré. Il faut du pain ; il en faut peu, mais il en faut. »

Cependant, pour lui, la délicatesse et la charité l'emportent toujours sur le jeûne et toute autre pénitence. « Un jour — rapporte Catherine Lassagne — des pauvres gens lui offrirent un peu de

La chambre du curé d'Ars.

la soupe qu'ils mangeaient. Il en accepta pour ne pas mépriser leur offre, et leur faire plaisir. » De même, Antoine Mandy déclare : « M. Vianney a mangé quelquefois chez mon père, le maire d'Ars, jamais sur invitation. Il arrivait quelquefois à l'heure du repas et alors il y prenait part avec plaisir en acceptant une pomme de terre et ne craignait pas de prendre un peu de vin. » En d'autres circonstances, « il trinquait volontiers avec nous, mais ne buvait pas ». Et Jeanne-Marie Chanay

ajoute : « Il était plein de gaieté et, dans sa conversation, il disait volontiers quelques mots qui faisaient sourire. Il avait des reparties très spirituelles. » Malgré son extrême austérité, Jean-Marie n'a jamais été triste. C'est peut-être d'abord de lui-même qu'il pouvait dire : « Le Bon Dieu est la joie de ceux qui l'aiment. »

Paroles sur la souffrance

Nous nous plaignons de souffrir ; nous aurions bien plus raison de nous plaindre de ne pas souffrir, puisque rien ne nous rend plus semblables à Notre Seigneur.

Il faut toujours avoir Dieu en vue, Jésus Christ en pratique, soi-même en sacrifice.

Si nous aimions Dieu, nous serions heureux de souffrir pour l'amour de celui qui a bien voulu souffrir pour nous.

La croix est l'échelle du ciel.

La croix est la clef qui ouvre la porte du ciel.

La croix est la lampe qui éclaire le ciel et la terre.

Plus on se rend pauvre, plus on est riche

Plus encore que son austérité et sa pauvreté personnelle, ce qui frappe les habitants d'Ars dans le comportement de leur curé, c'est la façon dont il donne ce qu'il a. Car après tout, la rusticité du logement et la sobriété dans la nourriture qui nous étonnent tellement aujourd'hui sont alors plus ou moins le lot de presque tous. Dans beaucoup de fermes, on ne mange guère de viande que les jours de fête et l'on boit de l'eau. Toute la famille vit dans une seule pièce qu'on appelle « la chauffure » ; elle sert en même temps de cuisine, de salle à manger et de chambre à coucher. La plupart des valet dorment dans un coin de l'étable ou de l'écurie. Ces paysans, maîtres et domestiques, gagnent durement leur vie en travaillant beaucoup, et ils ont un grand respect de l'argent. Alors ils sont stupéfaits de la générosité de leur curé. Le charron, André Verchère, déclare : « Il donnait sans compter et autant qu'il avait. » Jean Picard, maréchal-ferrant, dit : « On l'a vu donner avec autant de facilité une pièce de vingt francs qu'une pièce de cinq centimes. » Jean-Baptiste Mandy, le fils du maire : « L'argent qu'il recevait semblait lui brûler les doigts. » Jean Pertinand, l'instituteur : « Il échangeait le pain blanc qu'on lui portait contre celui des pauvres qui venaient lui demander l'aumône. »

Cependant, avec un bon sens de paysan qui sait ce qu'il en coûte de faire fructifier la terre, Jean-Marie ne méprise pas l'argent. Il essaie d'en avoir toujours un peu à distribuer. En diverses circonstances, il n'hésite pas à se lancer dans des dépenses importantes et à disposer de sommes considérables, par exemple lorsqu'il s'agit de restaurer son église, ou de soutenir ses œuvres d'éducation. Personnellement, il jouit de quelques biens propres. Il touche régulièrement un petit traitement, comme c'est l'usage selon le Concordat. En 1819, à la mort de son père, il perçoit une modeste part d'héritage sous la forme d'une pension annuelle que lui verse son frère aîné, François. Mais cela n'est que peu de chose par rapport à tout ce qu'il a distribué. Par exemple, dans un testament daté du 2 décembre 1841, il constitue des donations en faveur d'œuvres diverses pour un total de vingt-cinq mille francs de l'époque. Lorsqu'on sait que sous Louis-Philippe le salaire journalier d'un ouvrier peut osciller entre deux

Entrée de la cure d'Ars.

francs cinquante et quatre francs par jour, on ne peut qu'être stupéfait de le voir disposer de tant d'argent. Une équivalence, difficile à établir assurément, tourne autour du million de francs actuels.

D'où le pauvre curé tire-t-il ses subsides ? Assurément pas de ses malheureux paroissiens, mais de personnes fortunées qu'il intéresse à ses œuvres. Dès son séjour comme vicaire à Écully, M. Balley lui a fait rencontrer un riche « soyeux » de Lyon, Claude Laporte, et il reste en relations amicales avec lui jusqu'à sa mort. Il est probable que

M. Laporte lui a fait connaître d'autres négociants lyonnais. Mais surtout son grand recours est la famille des Garets d'Ars. Marie-Anne Colombe des Garets — Mademoiselle d'Ars, comme on disait familièrement — devient rapidement une amie généreuse. Son frère, le vicomte François des Garets d'Ars, qui réside habituellement à Paris, séjourne à Ars durant l'été 1819. Conquis lui aussi, il y reviendra souvent et il va contribuer grandement à la réfection de l'église. Ses cousins, le comte et la comtesse Prosper des Garets s'installent au château en 1832, après la mort de Mademoiselle d'Ars. Le comte devient maire du village en 1838 et le reste jusqu'à sa mort. Cette famille entretient de nombreuses relations tant à Paris qu'à Lyon, et elle se met au service de M. Vianney en se faisant son constant soutien.

Disposer de sommes importantes pour ses œuvres n'empêche pas le curé d'Ars de n'avoir souvent pas un sou vaillant dans sa poche. Presque toutes les lettres que l'on a conservées de lui à son frère François et à Prosper des Garets sont des appels de fonds, embarrassés mais pressants. Et il se livre à toutes sortes de petites industries pour aider les pauvres. Ainsi, à la fin de sa vie, lorsqu'il est devenu très populaire, il est harcelé par des dévotes qui veulent absolument obtenir quelques souvenirs de lui, elles n'osent pas encore dire des reliques... Avec malice et le demi-sourire qui ne le quitte guère, il en profite pour leur arracher quelques subsides. L'abbé Monnin en témoigne : « Il lui est arrivé de vendre à des prix élevés de vieux souliers, de vieilles soutanes, de vieux surplis, jusqu'à sa dernière dent... » A l'une de ces braves femmes, Marie Ricotier, il vend son lit, ses rideaux, une table vermoulue, une chaise bancale, et même sa montre, à condition que, de tout ce bric-à-brac, elle ne prenne possession qu'après sa mort !

Au cours de ses quarante ans passés à Ars, beaucoup d'argent a transité par les mains de Jean-Marie Vianney. Il le sait, car il fait ses comptes avec une scrupuleuse honnêteté ; jamais il n'affecte l'argent donné pour une œuvre à une autre destination, même aussi généreuse. Et il ne garde rien pour lui. Quelques heures avant sa mort, il dit au frère Athanase : « Il me reste trente-six francs. Priez Catherine Lassagne de les prendre et de les donner au médecin qui m'a soigné. C'est tout ce qui me reste. Je crois que c'est à peu près ce qui lui revient. Et qu'elle lui dise ensuite de ne plus revenir me voir parce que je ne pourrais pas le payer. »

Paroles sur la pauvreté

Plus on se rend pauvre pour l'amour de Dieu, plus on est riche en réalité !

Je n'ai jamais vu personne se ruiner en faisant de bonnes œuvres...

Les amis des pauvres sont les amis de Dieu.

Il ne faut jamais mépriser les pauvres parce que ce mépris retombe sur Dieu.

Vous avez envie de prier le Bon Dieu, de passer votre journée à l'église ; mais vous songez qu'il serait bien utile de travailler pour quelques pauvres que vous connaissez et qui sont dans une grande nécessité ; cela est bien plus agréable à Dieu que votre journée passée au pied des saints tabernacles.

Si vous avez beaucoup, donnez beaucoup ; si vous avez peu, donnez peu, mais donnez de bon cœur et avec joie.

Que c'est beau la prière !

On se lève tôt à la campagne. Un peu moins en hiver qu'en été. Mais en ce mois de février 1818, les voisins du presbytère ne sont pas longs à s'apercevoir que leur curé est le premier levé. Dès quatre heures du matin, parfois plus tôt encore, une lanterne traverse le jardin et le petit cimetière et disparaît dans l'église, en entrant par la porte latérale, en dessous du clocher. Les curieux qui se glissent dans la nef aperçoivent leur curé à genoux devant le tabernacle du maître-autel. Chaque matin il prie au moins trois heures. Parfois il change de position et de lieu : il va lire son bréviaire dans la sacristie, ou il récite à mi-voix, avant que n'arrive l'heure de la messe, les prières du matin habituelles à l'époque. Surtout il reste silencieux, les yeux fixés sur le tabernacle. Avant sept heures en hiver, six heures en été, il sonne la cloche et se prépare à célébrer la messe.

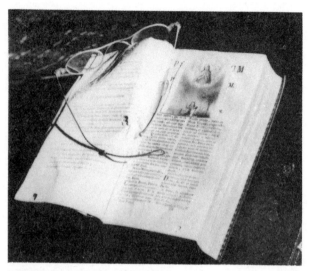

Bréviaire de Jean-Marie Vianney avec l'image de la Trinité qu'il y plaçait.

Quelques femmes y assistent. L'attitude du jeune prêtre les impressionne fortement. Il est assez vif et même rapide dans sa façon de célébrer, mais après la consécration, il s'arrête plusieurs minutes, les yeux fixés sur l'hostie : « Sa figure manifestait le contentement intérieur qu'il éprouvait. On la voyait même quelquefois souriante, comme s'il eût vu Notre Seigneur. » Et les fidèles observent le même arrêt silencieux et heureux au moment de la communion.

Dans la journée, le curé revient souvent dans son église. Le soir, avant la tombée de la nuit, il récite le chapelet, les litanies et quelques autres prières bien connues de tous. Assez vite, quelques femmes, quelques enfants le rejoignent. Ensuite, alors que la nuit enveloppe tout le village, sa chandelle reste allumée tard devant l'autel du Saint Sacrement ; il prie longuement avant de rejoindre son presbytère. Il ne se couche pas encore ; devant le modeste feu qu'il entretient dans la cheminée de sa chambre, il lit un de ses ouvrages préférés.

Il ne semble pas avoir eu de Bible complète, mais il a un recueil des « histoires de l'Ancien Testament » et il peut méditer les lectures bibliques du bréviaire et celles du missel. Il dit : « Le bréviaire, c'est ma fidèle compagne, je ne saurais aller nulle part sans lui. N'y a-t-il pas de grâces particulières attachées à l'Écriture Sainte ? Le bréviaire est composé en partie des plus beaux morceaux de l'Écriture Sainte et des plus belles prières. » Il ne faut pas oublier que dans les séminaires de l'époque, la formation biblique est très faible. On ne lit guère l'évangile que dans un but d'édification. Jean-Marie cherche surtout sa nourriture spirituelle dans cet évangile vécu tout au long de l'histoire que représente la vie des saints. Il semble avoir spécialement beaucoup d'intérêt pour les Pères du désert ; il trouve peut-être dans leur ascétisme une justification du sien, et dans leurs exemples un encouragement dont il ne se lasse pas.

Enfin, vers onze heures du soir, il s'allonge sur

sa paillasse ou parfois par terre à côté de son lit. Il ne dort que quatre à cinq heures chaque nuit. Dans ses dernières années, il lui arrivera souvent de ne se reposer que deux heures. Sans doute a-t-il eu moins que d'autres besoin de sommeil. Il a raconté qu'enfant il s'isolait pour prier, alors que ses petits camarades dormaient, et aux Noës, autour de sa vingt-cinquième année, il affolait la brave Claudine Fayot à cause du peu de temps qu'il consacrait au repos de la nuit. Son beau-frère, Jacques Melin, s'étonnait : « Je ne sais ce qu'il faisait, mais toutes les nuits il usait une chandelle ! » Il reste que si Jean-Marie Vianney a tellement rogné sur son sommeil, c'est surtout parce qu'il a pris à la lettre les paroles de l'Écriture disant qu'il faut toujours prier, sans jamais se lasser. Il s'exclame : « L'âme ne peut se nourrir que de Dieu ! Il n'y a que Dieu qui lui suffise ! Il n'y a que Dieu qui puisse la remplir ! Il n'y a que Dieu qui puisse rassasier sa faim ! »

Mais il est sûr aussi qu'il est, dans ces années de jeunesse, tourmenté par bien des angoisses et des peines intérieures. Il éprouve la monotonie et l'aridité de la prière : « Notre pauvre cœur est sec comme de l'amadou, comme un morceau de liège, dur comme un caillou, froid comme le marbre. » En même temps lui revient sans cesse à l'esprit le sentiment de son indignité et de son incapacité à être curé. Ne s'est-il pas montré présomptueux en acceptant une telle charge ? Parmi ses paroissiens, certains ne risquent-ils pas d'être damnés à cause de son incompétence à lui ? De telles pensées le torturent. Quand il fait son examen de conscience, il ne voit que son indignité de pécheur. Bien plus tard, à une de ses pénitentes, il dit : « J'ai demandé une fois à Dieu de voir ma misère et je l'ai obtenu. Si Dieu ne m'avait alors soutenu, je serais tombé dans le désespoir. » Il dira aussi que, quand tout allait mal « il se jetait devant le tabernacle comme un petit chien auprès de son maître ».

Récits choisis de l'Histoire sainte ayant appartenu à Jean-Marie Vianney.

Le frère Athanase, l'un de ses intimes à partir de 1849, résume bien ce que nous savons de cette longue épreuve : « Je tiens de M. le Curé lui-même qu'il avait eu des peines intérieures. Son ignorance l'effrayait, il tremblait en pensant à la charge pastorale et à la responsabilité d'un ministère extraordinaire comme le sien. Il avait prié Dieu de lui révéler son intérieur. Il en fut si effrayé qu'il pria le Tout-Puissant de répandre une lumière moins vive sur son âme, de crainte d'avoir des pensées de désespoir. »

Sur la fin de sa vie, quelqu'un lui demande s'il n'est pas tenté par des pensées contre l'humilité. « Non, répond-il, ce n'est point là ma tentation. Je n'ai pas de peine à me persuader que ce n'est pas moi qui fais tout cela. C'est le Bon Dieu... Ma tentation, c'est le désespoir. »

De cette tentation, comment se sauve-t-il ? Par l'amour : « Dieu nous aime plus que le meilleur des pères, plus que la plus tendre des mères. Nous n'avons qu'à nous soumettre et nous abandonner à sa volonté. » Et de ses épreuves mêmes, Jean-Marie tire une leçon optimiste : « Quand on n'a pas de consolations, on sert Dieu pour Dieu, mais quand on en a, on est exposé à le servir pour soi. »

C'est peut-être dans un moment de désolation intérieure dont son habituel sourire ne laisse rien deviner, qu'il prononce cette prière chargée d'émotion mais aussi de paix : « Mon Dieu, si ma langue ne peut dire à tous moments que je vous aime, je veux que mon cœur vous le répète autant de fois que je respire. Mon Dieu, faites-moi la grâce de souffrir en vous aimant et de vous aimer en souffrant. Je vous aime, ô mon divin Sauveur, parce que vous avez été crucifié pour moi. Je vous aime ô mon Dieu, parce que vous me tenez ici-bas crucifié pour vous... Faites-moi la grâce de mourir en vous aimant et en sentant que je vous aime [1]... »

En sentant que je vous aime ! Ces derniers mots peuvent surprendre ; Jean-Marie demande-t-il quelque grâce exceptionnelle ? Non, mais lui qui souffre tant de sa désolation intérieure s'adresse à Dieu comme un enfant à son père, en toute confiance, car il en est bien persuadé : « Le Bon Dieu est la joie de celui qui l'aime. »

---

1. Cette prière que J.-M. Vianney a recopiée de sa main a été composée par Adélaïde de Circey, fondatrice de la société des filles de Marie, à la fin du XVIIIᵉ siècle.

Paroles sur la prière

La prière n'est autre chose qu'une union avec Dieu.

Dans cette union intime, Dieu et l'âme sont comme deux morceaux de cire fondus ensemble.

Nous ne devrions pas plus perdre la présence de Dieu que nous ne perdons la respiration.

On en voit qui se perdent dans la prière comme un poisson dans l'eau.

On n'a pas besoin de tant parler pour bien prier. On sait que le Bon Dieu est là, dans le Saint Tabernacle ; on lui ouvre son cœur ; on se complaît en sa sainte présence. C'est la meilleure prière, celle-là.

Le Bon Dieu aime à être importuné.

L'homme est un pauvre qui a besoin de tout demander à Dieu.

En visite paroissiale

Catherine Lassagne, qui a une douzaine d'années en 1818 raconte : « Dès les premiers jours de son arrivée à Ars, il se montra si bon, si bienveillant et si affable qu'il se fit aimer de tout le monde. Il visitait tous ses paroissiens, ne se contentant pas d'aller où on l'appelait, mais se présentant sans être appelé... Après avoir demandé des nouvelles de tout ce qui pouvait intéresser la famille, il ne manquait pas d'ajouter quelques mots d'édification... Je me rappelle que dans ma famille, c'était un bonheur pour tous de recevoir sa visite. »

Jean-Baptiste Mandy, le fils du maire, dit : « Il choisissait plus volontiers l'heure des repas, afin de trouver plus facilement la famille réunie. Pour ne pas causer de dérangement, ni de surprise, il s'annonçait de loin, appelant par son nom de baptême le maître de maison, puis il entrait, s'appuyait un instant contre un meuble. »

« Presque jamais il ne s'asseyait — poursuit Guillaume Villier, un pauvre cultivateur — il avait le plus grand mépris pour tous les biens de la terre ; cependant, quand il était avec nous, il nous parlait avec complaisance de l'état de notre fortune, de nos récoltes. Lorsque nous lui menions du bois ou du blé, lui-même nous servait à boire et mettait beaucoup d'amabilité et d'insistance à nous faire accepter ces politesses. »

M. Vianney se rend rarement au château et il n'y accepte jamais d'invitation au repas. Cependant, Prosper des Garets déclare qu'il lui rendait visite quelquefois : « Lorsqu'il avait causé avec nous, avec une familiarité pleine d'abandon, appuyé contre une pauvre table, il nous saluait tout à coup, en nous disant : "J'ai bien l'honneur de vous souhaiter le bonsoir". » Et il part « vif comme la poudre », son grand chapeau de feutre noir sous le bras, car il ne le porte sur sa tête que par mauvais temps. Il marche à pas précipités et il n'est pas facile de le suivre quand on essaye de l'accompagner, surtout lorsqu'il va voir un malade.

Par contre, il s'arrête chaque fois que dans la rue, ou dans les champs, il rencontre un enfant, surtout les petits pâtres qui partent chaque matin de bonne heure avec leurs bêtes ; la plupart échappent à toute scolarisation et même à tout catéchisme, et cela devient un gros souci pour M. Vianney. Les petites filles ne sont guère mieux loties : les plus pauvres sont placées comme servantes dès l'âge de dix ans, et leurs maîtres ne les libèrent même pas toujours le dimanche pour qu'elles puissent venir à la messe. Dès son arrivée, le nouveau curé fait lui-même le catéchisme à tous les enfants qu'il peut rassembler, très tôt le matin, avant qu'ils ne commencent leur travail. Il s'ingénie à persuader les parents et les maîtres de les laisser venir à l'église pour recevoir son enseignement. Catherine Lassagne prend place immédiatement parmi ses élèves, et elle s'en souvient très bien : « Lorsque je fis ma première communion, trois mois après son arrivée, les paroissiens avaient déjà une si haute opinion de sa vertu que les mères de famille disaient : "Nous serions heureuses si nos enfants faisaient leur première communion sous la direction de ce curé ; c'est un saint, et il pourrait être changé." Et elles craignaient qu'il ne partît. »

Pour faire ce catéchisme, le curé se heurte à une autre difficulté : la plupart des enfants ne savent pas le français, et lui-même n'est pas encore familier avec le patois d'Ars. Alors, il demande aux aînés de traduire aux petits ce qu'il veut leur dire. C'est probablement dès ces premiers contacts que commence à germer en lui la volonté d'obtenir que les parents ne se contentent pas des quelques leçons données par un instituteur de passage, en hiver, lorsqu'il n'y a pas trop de travail aux champs, et qu'il forme le dessein d'ouvrir de vraies écoles.

Le jour du Seigneur

« Nous devrions être contents de voir arriver le dimanche, dit le curé d'Ars. Nous dirions : aujourd'hui je vais m'occuper du Bon Dieu. »

Qu'en est-il à Ars lorsque Jean-Marie Vianney s'y installe ? Son prédécesseur Jean Lecourt avait signalé dans son rapport en 1804 que la garde des troupeaux était considérée comme plus importante que la messe. Dans toutes les paroisses des environs, les curés constatent, d'après leurs réponses à un questionnaire de leur évêque en 1823, que l'on travaille beaucoup le dimanche. Seul M. Vianney répond : « peu », et à un questionnaire semblable en 1829, il répond : « rarement ». Il est donc permis de penser que son action a été pour beaucoup dans le comportement de ses paroissiens. Car il ne cesse de le répéter : « Après avoir passé toute la semaine sans presque penser à Dieu, il est bien juste d'employer le dimanche à prier et à remercier Dieu. »

Si les fermiers les plus importants ne travaillent guère le dimanche, les femmes, les domestiques, les petits bergers qui gardent les troupeaux, tous ont à peu près les mêmes occupations le dimanche et la semaine. M. Vianney rappelle donc d'abord les plus responsables à leurs devoirs : « Le dimanche, c'est le bien du Bon Dieu. De quel droit touchez-vous à ce qui ne vous appartient pas ? Vous savez que le bien volé ne profite jamais. Le jour que vous volez au Seigneur ne vous profitera pas non plus. »

Les femmes ont toujours quelque chose à faire à la maison. Mais le curé les presse : « On doit le samedi faire tout ce qui peut se faire pour le dimanche, et le dimanche on doit laisser tout ce qui peut attendre au lundi. »

Les fermiers doivent accepter aussi qu'en dehors du soin indispensable des animaux, les domestiques aient leur jour de repos. Jean Pertinand rapporte que le premier, un nommé Rousset, métayer d'une ferme du château, déclara que ses domestiques ne travailleraient plus le dimanche. Peu à peu, presque tous les fermiers font de même. Les domestiques s'en réjouissent fort et du coup ceux des fermes des villages voisins demandent à leurs patrons le même avantage. Cela ne va pas sans déclencher quelques violentes colères, des critiques acerbes contre ce curé qui se mêle de ce qui ne le regarde pas, et aussi des quolibets à l'égard des fermiers d'Ars tournés en dérision à cause de leur dévotion. Mais la conviction du curé reste ferme : « Le dimanche le Bon Dieu nous ouvre ses trésors, à nous d'y puiser à pleines mains. »

Le jeune curé apporte un grand soin à la liturgie et à toutes les cérémonies. Il a formé quelques enfants de chœur qui portent avec fierté les cierges, l'encensoir, les burettes d'eau et de vin. Tous les paroissiens s'en aperçoivent très vite : pour leur curé, la messe, ce n'est pas seulement important, c'est capital. Il affirme avec toute la force de sa conviction : « L'assistance à la messe est la plus grande action que nous pouvons faire. »

A l'époque on communie peu. On a lié communion à sacrement de pénitence : les chrétiens sont invités à se confesser la veille de toute communion. Et le rigorisme de nombreux confesseurs depuis le XVIIe siècle n'a pas peu contribué à écarter les fidèles de la participation plénière à l'eucharistie.

De plus, il n'est d'usage nulle part de communier à la grand'messe. Cela paraîtrait une espèce de manque de pudeur, et le respect humain est puissant. Il ne faut pas non plus oublier que l'obligation du jeûne est stricte : pour se présenter à l'eucharistie, il ne faut avoir rien mangé, ni bu, depuis minuit ; attendre à jeun jusqu'à environ onze heures paraît difficile à beaucoup. A Écully, le jeune abbé Vianney célébrait une messe basse à six heures pour les quelques personnes ferventes qui voulaient communier, mais l'assistance à cet office ne les dispenait pas de revenir ensuite à la grand'messe. Car même à cette époque de dévotion très individualiste, on n'oublie pas tout à fait que la messe a une dimension communautaire. M. Vianney le souligne volontiers : « Quelle messe devons-nous entendre ? La messe de paroisse, celle où on se réunit tous pour rendre hommage au Bon Dieu, celle où l'on fait les annonces, celle où l'on prie les uns pour les autres, pour les vivants et pour les morts. »

A Ars on ne déroge pas aux usages communs et les communions sont rares : la plupart des femmes s'acquittent de ce qu'elles considèrent surtout comme un « devoir » à Pâques, selon le précepte minimal imposé par l'Église. La quasi-totalité des hommes ne communient jamais. La première communion des garçons de douze ans est bien souvent la dernière. Quant au sacrement de pénitence, il est encore plus méconnu, sinon méprisé, et si l'on en parle quelquefois entre hommes, c'est au cabaret, comme sujet de plaisanteries grivoises. Après les troubles de la Révolution, il est bien évident que pour la plupart, les hommes d'Ars parvenus à l'âge mûr n'ont ni reçu l'absolution, ni communié depuis vingt ou trente ans.

L'assistance routinière du gros de la population à la messe du dimanche ne doit donc pas masquer la réalité. A Ars, lorsque M. Vianney y arrive, les gens sont en train de passer inconsciemment à

l'indifférence religieuse. M. Courbon, le vicaire général de Lyon, était sans illusions, mais plein de confiance dans les capacités de Jean-Marie, lorsqu'en lui annonçant sa nomination, il lui a dit : « Je vous envoie dans une petite paroisse où il n'y a pas beaucoup d'amour du Bon Dieu, vous en mettrez. »

Après avoir chanté l'évangile en latin depuis la

première marche de l'autel, face à ses paroissiens debout, M. le curé gravit l'escalier de la chaire. Celle-ci est étroite, très haute, et elle paraît presque ridicule dans un si petit édifice, mais une chaire assez élevée, située au milieu de la nef, est alors le meilleur moyen pour se faire bien entendre, surtout si le prédicateur n'a pas la voix très forte. Cependant, M. Vianney ne doit pas tellement apprécier cette chaire : de cette hauteur, il voit surtout le dessus de la tête de ses auditeurs, et après quelques années, lorsqu'il prend l'habitude de faire chaque jour le catéchisme aux enfants et à tous les pèlerins, il fera construire une petite chaire, à peine surélevée, dans laquelle il pourra s'asseoir et parler familièrement en regardant en face ceux qui l'écoutent.

Puis tout le monde s'assied dans le brouhaha des chaises remuées et retournées vers le prédicateur. Et M. le curé prêche, c'est-à-dire que sa pauvre parole humaine, parce qu'elle est parole d'un prêtre de Jésus Christ, devient la Parole de Dieu. Cette conviction, il l'a clairement exprimée à plusieurs reprises : « Quel que soit le prêtre, c'est toujours l'instrument dont le Bon Dieu se sert pour distribuer sa Parole. »

Parler du Bon Dieu !

Comme à Écully, M. Vianney prépare soigneusement ses sermons. Il reste fidèle à la méthode que lui a conseillée M. Balley, c'est-à-dire qu'il ne compose pas lui-même son texte, mais qu'il recopie et met bout à bout des passages de divers auteurs, choisis selon les circonstances et qu'il transforme plus ou moins en fonction de ses auditeurs. Nous avons là-dessus le témoignage de Jean-François Renard. Séminariste à Lyon, il passe à Ars les mois de vacances de l'été 1818. Il devient le familier de son curé. A propos de sa prédication, il écrit : « Il s'enfermait dans la sacristie pour écrire ses instructions du dimanche et les apprendre par cœur. Il ne les composait pas, il les prenait dans le cours des *Instructions familières*, ayant soin de les adapter aux besoins de ses paroissiens. Là, seul, [...] il s'exerçait au débit et prêchait comme s'il eût été en chaire. »

M. Vianney ne se sert pas seulement des *Instructions familières*, ouvrage du chanoine Bonnardel, écrivain du XVIIIᵉ siècle, apprécié par beaucoup de prêtres, mais au moins de sept auteurs différents dont les œuvres se trouvent dans la bibliothèque que lui a léguée M. Balley. Nous en avons la preuve dans les quatre-vingt-cinq sermons qui sont parvenus jusqu'à nous, tous prêchés entre 1820 et 1829.

Les inspirateurs du curé d'Ars ne sont pas jansénistes en ce sens qu'ils ne réservent pas le salut de Dieu à une petite élite de prédestinés, tous les autres hommes étant irrémédiablement condamnés à l'enfer. Non, ils croient au triomphe de la miséricorde de Dieu sur le mal et le péché. Cependant, comme beaucoup de prêtres français de leur temps, ils sont très précis sur le contenu de la foi indispensable au chrétien et très exigeants sur la conduite morale. En pratique, ils insistent davantage sur la justice de Dieu et l'obéissance à ses commandements que sur son amour ; ils exaltent la vertu, mais condamnent davantage le péché ; ils annoncent le ciel, mais menacent bien plus de l'enfer.

M. Vianney les imite. Jugée à travers les textes qui nous restent, sa prédication de jeunesse nous paraît souvent d'une sévérité exagérée. Par exemple, dans un grand appel pathétique, où se mêlent l'effroi et la compassion, il s'écrie : « Que d'âmes en enfer... Les pécheurs y tombent par milliers continuellement... Que de chrétiens damnés, que de chrétiens perdus, déjà perdus ! »

Jean-Marie Vianney paraît à tous bon, serviable, souriant. Qu'est-ce qui a pu le pousser à prêcher de façon aussi rigoureuse pendant une dizaine d'années ? Paradoxalement, son extrême sensibilité et l'intensité de son amour pour Dieu : il n'arrive pas à comprendre que l'on puisse ne pas être brûlé comme lui par cet amour, et donc la moindre négligence lui paraît contradictoire avec l'amour. Quand il reconnaît devant lui la médiocrité, le peu de zèle, le conformisme social au lieu de la foi vive et de l'amour fervent, il voit des hommes, des femmes séparés de Dieu, donc, par définition, tombés dans le péché. Et tout péché lui paraît grave face à l'infinie tendresse de Dieu. Tout péché lui apparaît comme entraînant l'homme à la mort spirituelle, le vouant à la séparation définitive avec Dieu, cette séparation qui est justement la damnation, puisque l'enfer est le lieu de l'absence de Dieu et du refus de l'amour.

Du moins c'est ce qu'il écrit dans les brouillons qui nous restent. Pouvons-nous affirmer qu'il a prononcé exactement ce qu'il a rédigé ? Certainement pas. Nous savons qu'il ne lisait pas ses textes, mais qu'il les récitait de mémoire. Or sa mémoire était mauvaise. Jean Pertinand l'a rapporté comme Jean-François Renard : « Une seule instruction lui coûtait beaucoup de temps pour l'apprendre, et encore il se perdait quelquefois quand il la prêchait. » Or, il aura de moins en moins de temps pour composer et pour apprendre ses instructions, et sa pensée évoluera beaucoup.

Si sa première découverte du mal l'a poussé à la rigueur, au fur et à mesure qu'avec l'acuité spirituelle qui a fait sa célébrité il sonde le cœur de chaque homme venu à lui, il s'ancre davantage à la miséricorde de Dieu. Il menace de l'enfer, mais il pleure à la pensée que des hommes se damnent. Il dénonce le péché mortel, mais il revient sans cesse sur la bonté de Dieu, sur sa miséricorde envers les pécheurs, sur son amour offert à tous. Il se veut terrible, mais il s'arrête en pleine péroraison, peut-être parce que la mémoire lui fait défaut, mais surtout parce que la pensée de Jésus présent par amour dans l'eucharistie s'impose à lui.

Alors il ne sait plus que bredouiller : « Oh ! mes enfants, que fait Notre Seigneur dans le sacrement de son amour ? Il a pris son bon cœur pour nous aimer. Il sort de ce cœur une transpiration de tendresse et de miséricorde pour noyer les péchés du monde. » Il revient sans cesse à l'amour de Dieu, du Bon Dieu, comme il dit, et dans sa bouche cet adjectif « Bon » n'est pas seulement une façon de parler, mais il exprime l'essentiel : « Le Bon Dieu nous a créés et mis au monde parce qu'il nous aime ; il veut nous sauver parce qu'il nous aime — Le Bon Dieu veut notre bonheur — O mes enfants, que Dieu est bon ! Quel amour il a eu et a encore pour nous ! Nous ne le comprendrons bien qu'un jour, en paradis. »

Dès 1825, M. Vianney est trop occupé pour écrire entièrement toutes ses instructions. Il ne renonce pas à l'étude : sa vie entière il garde un peu de temps pour lire, mais il se libère de ses modèles et il se permet d'improviser. Il livre alors ce qu'il a médité dans sa prière, sa parole s'adoucit, elle s'approfondit, elle montre le fond de son cœur, et c'est alors qu'il se fait vraiment écouter.

Non seulement ses paroissiens d'Ars deviennent de plus en plus attentifs, mais ses confrères l'invitent à prêcher dans leurs églises. Il leur parle de Dieu, lui l'ignorant, pendant leurs réunions. On l'invite pour les Jubilés, qui sont des sortes de petites missions paroissiales, pour l'Adoration qui, de paroisse en paroisse, ravive le culte de l'eucharistie, et en bien d'autres circonstances. En fait, il ne sera jamais un orateur prestigieux, mais il devient un témoin de l'évangile humble, passionné, convaincu et convaincant. Catherine Lassagne rapporte : « En parlant de cet amour immense de Notre Seigneur, son cœur se serrait, et il ne pouvait plus parler : alors, il pleurait. » Quant à lui, il disait simplement : « Le moyen le plus sûr d'allumer ce feu — l'amour de Notre Seigneur — dans le cœur des fidèles, c'est de leur expliquer l'évangile. » Et, alors qu'il est épuisé, il répond à ceux qui veulent l'obliger au repos :

« Quand c'est pour parler du Bon Dieu, j'ai encore bien des forces. »

Paroles sur l'amour de Dieu

Oh ! que c'est beau d'avoir un Père dans le ciel !

O Jésus, vous connaître, c'est vous aimer !... Si nous savions comme Notre Seigneur nous aime, nous mourrions de plaisir ! Je ne crois pas qu'il y ait des cœurs assez durs pour ne pas aimer en se voyant tant aimés...

Oh ! que les pauvres pécheurs sont malheureux de ne pas aimer le Bon Dieu.

Pauvres pécheurs, quand je pense qu'il y en a qui mourront sans avoir goûté seulement pendant une heure le bonheur d'aimer Dieu...

Au ciel, nous serons heureux du bonheur de Dieu et beaux de la beauté de Dieu.

Mon Dieu ! Qu'aimerons-nous donc si nous n'aimons pas l'Amour ?

Un empêcheur de danser en rond !

Jean-Marie Vianney se fait une haute idée de sa responsabilité de curé d'une paroisse : « Si le prêtre était bien pénétré de la grandeur de son ministère, il pourrait à peine vivre. » Il se sait le représentant de Dieu devant ses deux cent trente paroissiens, mais surtout leur représentant devant Dieu : « Laissez une paroisse vingt ans sans prêtre, dit-il, on y adorera les bêtes. » Bien souvent il exhorte ses paroissiens à se convertir, mais il est persuadé qu'ils ne le feront pas sans son aide permanente, sans non plus sa prière instante. Comme bien peu soupçonnent ce que c'est qu'aimer Dieu, il pense que c'est à lui de suppléer à ce qui manque chez eux. Là se trouve l'une des raisons de sa prière et de sa pénitence, là aussi son tourment : « Si j'avais su tout ce qu'il y aurait à souffrir étant curé, je serais mort de chagrin », confie-t-il dans sa vieillesse, et encore : « Je ne suis pas fâché d'être prêtre pour dire la Sainte Messe, mais je ne voudrais pas être curé, j'en suis fâché... De quelle frayeur ne doit pas être saisi un pauvre prêtre en exerçant un ministère si redoutable ! »

Mais à Ars, en ce printemps 1818, il faut d'abord donner confiance aux meilleurs. Il y a là trois ou quatre femmes âgées de bonne volonté. Il les invite à la messe en semaine et leur propose de recevoir quotidiennement l'eucharistie. Il leur enseigne à prier le Rosaire de la Vierge Marie. Il les encourage à accueillir parmi elles quelques petites filles plus à l'aise avec leurs aïeules qu'avec leurs mères tant occupées. Six mois après son arrivée, ce petit groupe se réunit le dimanche après-midi, dans le jardin du presbytère s'il fait beau ; on prie un peu, on apprend des cantiques, on écoute les entretiens familiers de M. le Curé... Ces simples paysannes se font ses messagères, le groupe grandit, il devient la Confrérie du Rosaire. Après deux ou trois ans, il ne comporte plus seulement des vieilles femmes et des enfants, mais des épouses, des mères de famille et des jeunes filles en âge d'aller danser et qui renoncent à ce plaisir contre lequel leur curé les met bien fort en garde.

Car c'est vrai, M. le Curé n'aime ni la danse, ni les danseurs. Surtout il n'aime pas la légèreté des mœurs. Peu de temps après son arrivée à Ars, il a béni un premier mariage. Chose banale, et même heureuse ? Oui, mais... le marié n'a que dix-huit ans et la mariée n'en a que quatorze !

Naturellement, le baptême de leur enfant est célébré trois mois plus tard… L'extrême délicatesse de Jean-Marie a été choquée. Il sait combien les jeunes aiment à se réunir en toute occasion de fête sur la petite place qui est au chevet de l'église, le « plâtre » comme on dit, et que, pour beaucoup, ces rencontres sont l'occasion de désordres. On entend la musique depuis l'église, fort tard dans la soirée « presque chaque dimanche », dit Catherine Lassagne, et elle ajoute : « La présence de M. le Curé n'a pas d'abord fait cesser ces habitudes. Ce n'est que petit à petit qu'il en est venu à bout. » C'est surtout dans ses conversations amicales avec les jeunes filles que Jean-Marie intervient, indirectement en leur parlant de la présence de Jésus dans l'eucharistie, dans le tabernacle, dans l'église : « Ah ! si nous avions la foi, si nous étions bien pénétrés de la présence de Notre Seineur qui est là sur nos autels avec ses mains pleines de grâces, cherchant à les distribuer, avec quel respect nous serions en sa sainte présence ! » Un témoin déclare : « Les jeunes filles, d'abord, commencèrent à se sentir mal à l'aise quand elles s'amusaient à quelques mètres de cette église qui n'était déjà plus pour elles un monument quelconque, mais une maison où habitait vraiment le Bon Dieu. »

Puis le curé gagne à ses idées quelques pères et mères de famille, notamment le maire et quelques membres du conseil municipal. Celui-ci décide que les bals n'auront plus lieu sur le « plâtre », tout près de l'église, mais plus loin, en dehors du village, sur le terrain communal du Tonneau. Le maire fait même entreposer sur le « plâtre » le sable et le gravier destinés à l'entretien des chemins communaux. Mais les jeunes gens viennent voler ces matériaux et dégager la place. Du coup, le maire menace de faire payer des amendes et fait annoncer la mesure par le garde-champêtre au son du tambour ! Enfin le calme revient. Les bals deviennent moins fréquents à Ars, les jeunes filles renoncent peu à peu à s'y rendre. Les garçons acceptent beaucoup moins bien ces restrictions à leurs réjouissances habituelles car ils en sont réduits à courir les vogues dans les villages avoisinants.

Si M. Vianney est si hostile aux bals et aux danses, c'est qu'il y voit des occasions favorisant la luxure et l'impureté, « ce péché que les démons nous font commettre et qu'ils ne commettent pas ». Son expérience de pasteur lui fait dire : « De tous les péchés, c'est celui de l'impureté qui est le plus difficile à déraciner. Qu'il est difficile de s'en corriger entièrement ! » Mais plutôt que de condamner, il préfère exalter la pureté du cœur et du corps : « Être roi, triste place : on est roi pour les hommes ! Mais être à Dieu, être à Dieu tout entier, sans partage, le corps à Dieu, l'âme à Dieu ! un corps chaste, une âme pure ! Il n'y a rien de si beau ! »

Église d'Ars avec la tour construite par l'abbé Vianney.

En même temps qu'il s'oppose aux danseurs, Jean-Marie Vianney s'en prend aux buveurs. Un cabaret est situé tout près de l'église, sa porte s'ouvre sur le « plâtre ». La disparition des bals de cet endroit lui fait perdre une grande partie de sa clientèle du dimanche. Cela n'empêche pas le curé de prêcher avec sévérité contre l'ivrognerie : « Nous noyons, nous étouffons notre âme dans le vin », s'écrie-t-il. Le pauvre cabaretier en est peu à peu réduit à accepter les secours de M. Vianney, ce qui a fait dire à certains que le curé l'avait payé pour qu'il ferme son estaminet. Quoi qu'il en soit le recensement de 1836 déclare qu'il n'y a aucun débit de boissons dans la commune. Cependant, et paradoxalement, le développement du pèlerinage amènera l'ouverture de plusieurs établissements du genre cafés-restaurants, ce dont le curé se réjouira et s'inquiétera en même temps.

M. Vianney a compris que ses paroissiens, surtout les jeunes, aiment se réjouir et qu'il y a là un désir légitime. Il s'efforce donc de donner aux solennités religieuses tout l'éclat possible, notamment il multiplie les cérémonies du dimanche après-midi. Dès 1819, il fait de la Fête-Dieu une journée exceptionnelle. La procession est précédée par des musiciens. Les jeunes font éclater des pétards. Les reposoirs ont été décorés et couverts de fleurs fraîches par les femmes et les jeunes filles. Les hommes portent le dais et les lourdes bannières, les enfants de chœur font fumer les encensoirs ; on fait tout le tour du village en bénissant chaque ferme avec le Saint Sacrement, et tous chantent à pleine voix. L'abbé Monnin rapporte : « Le renom des Fêtes-Dieu d'Ars s'étendit bientôt dans toute la région. » Et on ne s'en tient pas à la Fête-Dieu. En 1823, pour la Saint-Sixte, fête patronale d'Ars, le curé entraîne toute sa paroisse à Notre-Dame de Fourvière. M. Vianney profite aussi de la reconstruction du clocher, de l'agrandissement du chœur, de la construction des chapelles latérales dans l'église, pour organiser de nouvelles fêtes paroissiales dont la préparation mobilise les jeunes longtemps à l'avance.

Et il incite ses paroissiens à compléter la fête religieuse par un bon repas pris joyeusement en famille. Mais lui-même reste sobre, et dès qu'il se retrouve seul, il reprend son régime de jeûneur malgré l'avertissement amical du vicaire général qui lui fait dire : « On ne prend pas le ciel par famine. » A quoi le curé répond : « Je ne me nourris déjà que trop bien. »

Paraboles

La basse-cour : *L'âme qui prie peu est comme ces oiseaux de basse-cour qui, ayant de grandes ailes, ne savent pas s'en servir.*

Celui qui ne prie pas est comme une poule ou une dinde qui ne peut s'élever dans les airs. Si elles volent un peu, elles retombent bientôt et, grattant sur la terre, elles s'y enfoncent, s'en aspergent et semblent ne prendre plaisir qu'à cela.

Le soleil : *Le soleil ne se cache pas de peur d'incommoder les oiseaux de nuit !*

Le manteau : *Les gens du monde ont sur les épaules un manteau doublé d'épines. Ils ne peuvent pas faire un mouvement sans se piquer. Tandis que les bons chrétiens ont un manteau doublé de peau de lapin...*

Le panier à salade : *Les orgueilleux n'ont puisé de l'eau qu'avec un panier à salade.*

Rien de trop beau pour Dieu

L'église d'Ars est bien petite, et lorsque Jean-Marie y arrive elle est en piteux état. Dès l'été 1818, Jean-Marie achète un nouveau maître-autel ; il est en bois, mais il sera changé en 1827 pour un autel de marbre. « Les dorures n'y furent pas épargnées », dit avec admiration Jean-François Renard. Il ne faut pas s'étonner de cette transformation : la foi en l'eucharistie, surtout en la présence réelle et permanente du Christ dans l'hostie consacrée, est au centre de la vie spirituelle de Jean-Marie : « Si nous avions la foi, dit-il, nous verrions Jésus Christ dans le Saint Sacrement comme les anges le voient au ciel. Il est là. Il nous attend. » Le curé d'Ars estime que rien n'est trop beau pour le Seigneur, d'abord l'autel où son corps et son sang deviennent présents, et le tabernacle où sont conservées les hosties consacrées.

Après l'autel, Jean-Marie renouvelle tous les ornements nécessaires pour célébrer les offices liturgiques. Chez les marchands de Lyon il choisit ce qu'il trouve de plus beau, velours, soie, dorures. Le vicomte François des Garets paie largement, il achète des chasubles, des bannières, un dais de velours rouge pour les processions, tout cela pour la grande joie de Jean-Marie qui, lors d'un nouvel arrivage, n'hésite pas à convoquer les braves femmes d'Ars pour leur faire admirer ses trésors : « Mère, disait-il à l'une d'elles, venez donc voir une belle chose avant de mourir. »

Le clocher de l'église avait été en partie détruit en 1794. En 1819, le vicomte des Garets et sa sœur paient une nouvelle cloche que les charpentiers du pays accrochent à un bâti de bois, posé sur la base de l'ancien clocher. Mais la cloche est trop lourde pour son support : « Quand on sonnait, dit Catherine Lassagne, le clocher semblait sonner avec la cloche. » En 1820, on édifie une modeste tour carrée qui va pouvoir porter non seulement la cloche offerte l'année précédente, mais une seconde payée par le curé lui-même.

M. Vianney ne s'en tient pas là. L'église comporte une petite chapelle dédiée à la Sainte Vierge. Il la fait agrandir et la garnit d'une statue de bois doré. Il fait aussi construire une chapelle dédiée à saint Jean-Baptiste. Une quinzaine d'années plus tard, il agrandit encore son église par la construction de trois chapelles dont l'une est consacrée à sa sainte préférée, la petite martyre Philomène.

Tous ces travaux, c'est ce que Jean-Marie appelle « faire le ménage du Bon Dieu ». Certainement il aime construire, aménager, embellir, mais cela n'a qu'un but : favoriser la conversion véritable de ses paroissiens. Ainsi le clocher lui paraît important comme un signe de Dieu lui-même : « Lorsque nous sommes en route et que nous apercevons un clocher, cette vue doit faire battre notre cœur comme la vue du toit où demeure son bien-aimé fait battre le cœur de l'épouse. »

Intérieur de l'église d'Ars.

Dès 1820, la conversion tant souhaitée de la paroisse d'Ars est largement commencée. Le groupe des femmes qui forment la confrérie du Rosaire grandit. Les hommes les plus fervents préfèrent se réunir entre eux, et le curé fonde pour eux une confrérie du Saint Sacrement ; on y prie mais on y discute aussi des affaires de la paroisse. Le dimanche, les communions sont de plus en plus nombreuses. En semaine quelques femmes sont fidèles à la messe matinale, et beaucoup viennent passer dans la journée un moment plus ou moins long en prière devant le Saint Sacrement. Les hommes aussi se mettent à faire leurs Pâques, et le confessionnal de M. Vianney est peu à peu fréquenté par la majorité des paroissiens. Les bals sont devenus rares, le travail du dimanche a presque disparu. Les enfants viennent au catéchisme chaque matin dès l'âge de sept ou huit ans. Enfin les gestes de charité et d'entraide se multiplient. Sans doute y a-t-il encore quelques ombres au tableau : le curé n'a pas réussi à gagner la confiance d'une douzaine de jeunes gens, des garçons pauvres, domestiques et journaliers ; ils versent dans « les idées nouvelles », peut-être nostalgiques de la Révolution et de la République sans trop oser le dire ; et après les événements de 1830 leur opposition affectera beaucoup M. Vianney.

En novembre 1823, Jean-Marie pouvait écrire à sa vieille amie des Noës, Claudine Fayot : « Je vous dirai que je suis dans une petite paroisse pleine de religion, qui sert le Bon Dieu de tout son cœur. » Cependant, c'est surtout la célébration d'un jubilé, proposé par le pape Léon XII à partir du 1er novembre 1826, qui semble avoir couronné les huit années de labeur de M. Vianney. Catherine Lassagne évoque cette fête heureuse lorsqu'elle écrit : « Le respect humain était renversé. La grâce était tellement forte que personne ne pouvait résister. Le bon curé, content, dit un jour en chaire : ''Mes frères, Ars n'est plus Ars, il est changé. Je vous dis franchement : j'ai fait d'autres jubilés, des missions ; jamais je n'ai trouvé d'aussi bonnes dispositions qu'ici''. »

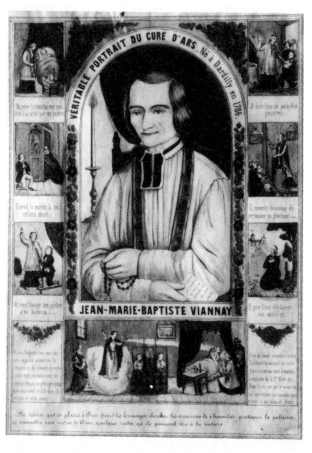

De son vivant déjà, Jean-Marie Vianney est représenté sur de nombreuses gravures et des images d'Épinal.

Avec les pauvres

Dès son arrivée à Ars, Jean-Marie Vianney s'aperçoit que quelques personnes sont plongées dans la misère. Catherine Lassagne rapporte : « Sa charité ne se bornait pas à ceux qui venaient auprès de lui pour lui demander, il leur portait ou faisait porter chez eux de l'argent, du pain, du blé. » A Claude Chaffangeon, le fils du maréchal-ferrant, qui, par ses excès de boisson a peu à peu ruiné sa famille, il ne se contente pas de faire la morale, il dit souvent : « Venez chercher du blé. » Il lui arrive aussi de payer des loyers en retard ou d'aider des malades. Tout près de l'église réside une vieille aveugle, la mère Antoinette Bichet. Catherine Lassagne rapporte : « Il lui portait souvent son offrande de nourriture. Il la trouvait presque toujours assise et occupée à teiller quelque peu de chanvre. Sans rien dire, il mettait dans son tablier ce qu'il lui portait. Quand elle s'apercevait qu'on lui donnait quelque chose, elle tâtait avec la main, croyant que c'était quelque femme qui lui apportait. ''Grand merci, ma mie, disait-elle, grand merci!'' M. le Curé souriait et s'en allait, content de n'être pas connu. »

Le curé d'Ars accueille de bon cœur les chemineaux qui frappent à la porte du presbytère ; on sait qu'il échange volontiers le pain blanc qu'on lui apporte parfois contre les vieux croûtons qu'ils traînent au fond de leur besace. Mais l'un d'entre eux a ses préférences, car il est presque un de ses paroissiens. En effet, il ne s'éloigne guère d'Ars et de ses environs, tout le monde le connaît et on l'appelle « le pauvre ». Quand il vient au presbytère, Jean-Marie le fait asseoir et ranime le feu ; s'il n'a rien à lui donner à manger — ce qui est fréquent — il va chercher quelque chose chez une voisine, et il parle avec lui. Catherine Lassagne dit joliment : « Tout en réchauffant son corps, il tâchait de réchauffer son âme. » Ce bonhomme, qui va de ferme en ferme, en profite pour faire avec ardeur les éloges de son curé partout où il se rend, et à sa manière il ne contribuera pas peu à propager sa réputation de sainteté.

La parole de Jean-Marie est convaincante : « Le Bon Dieu demandera si nous avons employé nos forces à rendre service au prochain. » Jean-Benoît Cinier, qui demeure tout près de l'église, donne asile chez lui à un vieillard paralytique. Son voisin, Antoine Rousset, accueille comme petit valet un jeune garçon dont personne ne voulait parce que c'est un enfant né de père inconnu. Le maçon Michel Mandy et sa femme élèvent avec leurs propres enfants un garçon abandonné.

Jean-Marie Vianney s'intéresse beaucoup aux enfants. « Ils sont petits, dit-il, mais leurs prières sont grandes auprès du Bon Dieu. »

La plupart de ces enfants ne savent ni lire ni écrire, surtout les filles. Il n'y a pas d'école permanente à Ars. Le conseil municipal loue chaque année les services d'un instituteur de passage qui, de novembre à mars, enseigne les rudiments de la lecture, de l'écriture et du calcul aux enfants que leurs parents veulent bien libérer des travaux de la ferme. Les garçons y sont envoyés plus volontiers que les filles, et encore pas tous. Certains parents pensent que cette instruction ne sert à rien pour former de bons paysans. Quant au bâtiment d'école, ce n'est qu'une espèce de hangar que le maire libère en hiver pour y mettre quelques bancs et une table de ferme.

M. Vianney veut remédier à cet état de choses. Il souhaite que les filles soient aussi instruites que les garçons, car il estime fort l'influence des mères sur leur famille. Il dit : « Les enfants qui n'ont pas une mère chrétienne sont bien à plaindre. La vertu passe du cœur des mères dans le cœur des enfants. » Peu à peu germe en son esprit le dessein de fonder une école gratuite pour les petites filles.

La Providence.

La Providence

Cinq ans après son arrivée à Ars, donc début 1823, Jean-Marie Vianney commence à réaliser son projet. Il a remarqué deux jeunes filles qui lui paraissent capables de devenir ses collaboratrices. Il obtient de leurs parents qu'elles puissent compléter leur instruction qui est fort réduite. Catherine Lassagne, âgée de dix-sept ans et Benoîte Lardet, son aînée de deux ans, vont étudier et se former à l'éducation des enfants chez des religieuses enseignantes à Fareins, à une dizaine de kilomètres d'Ars. Le curé trouve le moyen de payer leurs pensions. Elles n'y resteront que dix-huit mois et donc n'auront qu'un bien mince complément à leur maigre bagage scolaire. Car dès l'automne 1824, l'école va ouvrir sous le nom de « la Providence ».

M. Vianney achète en mars 1824 une maison bien modeste : une salle au rez-de-chaussée et deux petites chambres à l'étage. Le tout a coûté deux mille quatre cents francs que Jean-Marie a dû aller quêter auprès de ses habituels bienfaiteurs.

A Catherine et Benoîte se joint une troisième jeune fille, Jeanne-Marie Chanay. Elle sera chargée de la cuisine, du ménage et du jardinage. Elle apprend aussi à coudre pour « tailler les robes et habiller les pauvres ». Les petites filles du village viennent tout de suite nombreuses. Comme l'école est entièrement gratuite, des parents des villages voisins demandent à pouvoir y envoyer aussi leurs enfants. On accepte, mais cela nécessite d'organiser un dortoir. On arrive à mettre seize lits dans le grenier. Ils sont vite occupés. Et l'école est trop petite...

Jean-Marie Vianney reprend son chemin de quêteur. L'année suivante, il peut faire doubler la maison. Sans cesse il cherche l'argent nécessaire pour faire vivre tout ce petit monde. D'autant plus que l'œuvre se transforme. Ce n'est plus seulement une école, mais bientôt un orphelinat pour des enfants pauvres et abandonnés par leurs familles. On reçoit aussi quelques jeunes filles en détresse. On en arrive à avoir en permanence dans la maison soixante « orphelines ». Les plus jeunes ont huit ans, les aînées vingt. Auxquelles il faut ajouter les écolières d'Ars et des environs qui ne sont pas pensionnaires dans la maison mais y viennent pour les classes. Les trois « directrices », comme les appelle M. Vianney ne suffisent plus à la tâche. Heureusement, les aînées aident les plus petites. Et le régime de la maison reste fort simple. On mange du pain, des pommes de terre et des fruits, on couche sur des paillasses. Cependant tout le monde est heureux, et même, malgré le constant fardeau de ses soucis d'argent, M. le Curé. « Tous les jours, raconte l'abbé Monnin, à l'heure de l'Angelus (de midi) après le repas de la communauté, quand l'unique pièce servant d'ouvroir, de salle d'études et de réfectoire, avait été balayée, M. Vianney arrivait, s'asseyait sur le bord d'une table, tout son petit auditoire se rangeait alentour et il parlait pendant une heure. »

Il est là beaucoup plus à son aise qu'en chaire, beaucoup plus familier. Il n'hésite pas à faire sourire, mais, sans le vouloir, il lui arrive aussi de faire pleurer. Cette parole chaleureuse, si différente de celle des sermons récités à grand'peine le dimanche, ravit les petites filles. Les plus grandes, dont la plupart ont souffert déjà de dures épreuves et dont certaines sont arrivées en plein désespoir, laissent se retourner leur cœur. M. Vianney se préoccupe de leur trouver du travail et de les placer dans des familles où elles pourront vivre en honnêtes chrétiennes.

Avant de commencer son catéchisme, il se laisse maintenant convaincre de prendre quelque nourriture chaude que Jeanne-Marie est heureuse de lui préparer. Car durant l'été 1827, il est tombé malade et le médecin ne lui a prescrit d'autre remède que de manger normalement. Prescription qu'il ne suit guère, mais du moins le peu qu'il consent à prendre à la Providence, toujours debout et en quelques minutes, est-il soigneusement préparé et beaucoup plus sain que ses pommes de terre froides et les matefaims de la mère Renard.

Cependant les épreuves se succèdent. Plusieurs jeunes filles arrivées en mauvaise santé meurent. Plus grave encore pour la Providence, Benoîte Lardet à son tour tombe malade. « Quel bonheur, dit-elle, je vais voir le Bon Dieu ! » Elle meurt le 25 octobre 1830 ; elle n'a que vingt-six ans. On devine la peine de Jean-Marie et des orphelines qui l'aimaient comme une jeune maman.

Durant ces années 1830-1832, le pauvre curé a beaucoup de mal à faire vivre la Providence. La révolution de Juillet et les troubles qu'elle entraîne, notamment à Lyon, ne favorisent guère les libéralités sur lesquelles il compte habituellement. Mais pendant ces durs moments des événements merveilleux se produisent. Deux fois, alors que le grenier à blé aurait dû être vide, il se trouve plein. Sous les doigts de Jeanne-Marie, la boulangère, le peu de farine qui lui reste se met à gonfler et à remplir le pétrin... Les braves gens d'Ars, mis au courant par les jeunes filles, n'hésitent pas à parler de miracles. Jean-Marie, lui, remercie le Seigneur. Il croit certainement à une intervention effective de la bonté de Dieu. Cependant il reste très discret et il dit simplement, lorsqu'on l'interroge à ce sujet : « Le Bon Dieu est bien bon, il a soin de ses pauvres. »

Les pèlerins qui sont déjà très nombreux à accourir à Ars colportent ces nouvelles extraordinaires. Résultat : ils arrivent en nombre encore plus grand. On vient voir le curé d'Ars non seulement pour se confesser, mais aussi — quoiqu'il s'en défende fort — pour obtenir de son intercession des guérisons ou des grâces particulières. Les récits merveilleux se répètent à sa grande contrariété. Mais à quelque chose malheur est bon. Parmi tous ces pèlerins beaucoup visitent la Providence et y laissent des aumônes généreuses qui permettent d'améliorer l'ordinaire des orphelines et soulagent d'autant les soucis financiers de leur curé.

Mais une nouvelle épreuve se présente dans le courant de 1837. Celle grâce à qui la Providence tient depuis dix ans, Catherine Lassagne, épuisée par un labeur au-dessus de ses forces, tombe à son tour gravement malade. Avec de bons soins, elle se remet peu à peu, mais cette alerte met en lumière la fragilité de l'œuvre fondée par M. Vianney. D'autant plus que lui-même, à ce moment-là, fatigué et effrayé par l'afflux des pèlerins songe à demander à son évêque la permission de quitter Ars. L'évêque de Belley, le nouveau diocèse dont Ars dépend maintenant, Mgr Devie, estime fort M. Vianney et vient le visiter. Il est assez critique sur l'avenir d'une institution aussi hasardeuse et envisage diverses solutions qui lui donneraient un fonctionnement raisonnable. Mais le curé se ressaisit ; il défend son œuvre autant qu'il le peut et renonce au changement de résidence qu'il souhaitait. Par ailleurs, Catherine Lassagne est rétablie et la Providence continue sa vie toute simple une dizaine d'années encore.

En 1847, la question rebondit. Beaucoup d'écoles pour les filles se sont ouvertes dans le diocèse. Elles sont bien tenues par des congrégations religieuses florissantes. A côté de ces établissements la Providence fait pauvre mine. L'évêque souhaite qu'elle soit confiée aux sœurs de Saint-Joseph de Bourg. Assurément l'école sera beaucoup plus sérieusement tenue par ces religieuses, mais l'orphelinat et l'accueil des aînées seront supprimés, et c'est un grand déchirement pour Jean-Marie. En esprit d'obéissance, il donne son consentement et transfère dans les formes légales tous ses titres de propriété à la supérieure des religieuses. Il confie tristement à Catherine : « Je pense que Monseigneur voit la volonté de Dieu en cela ; moi, j'avoue que je ne la vois pas. » La pauvre Catherine est aussi douloureusement touchée que lui, elle qui a consacré vingt ans à cette œuvre. Elle se retire dans un pauvre logement contigu au presbytère. Elle y mène une vie de prière et de dévouement à son curé et prend l'habitude de noter avec précision et intelligence

Logis de Catherine Lassagne.

ce qu'elle voit et entend. Elle devient ainsi l'un des meilleurs témoins lors des procès informatifs ouverts après la mort de M. Vianney en vue de sa béatification. Elle est morte à Ars le 30 novembre 1883 en laissant une réputation de bon sens, de discrétion, d'humilité et de charité, bien conforme à ce qu'on pouvait attendre d'une vraie disciple de Jean-Marie Vianney.

Cependant, à Ars, il n'y a pas que des petites filles. Leurs frères sont nombreux. L'hiver, les instituteurs de passage ne leur donnent qu'une instruction bien rudimentaire, et leur souci éducatif est nul. Mais M. Vianney a déjà bien assez de tracas avec sa Providence pour s'engager dans une nouvelle fondation. Il pousse le maire à prendre lui-même l'affaire en main. Il faudra plusieurs années pour parvenir à un résultat sérieux. En 1838, un jeune homme du pays, Jean Pertinand, revient à Ars. Il a suivi les cours de l'École Normale de l'Ain. Il déclare : « Le vénérable curé m'engagea à prendre moi-même la direction de l'école communale. Je la dirigeai pendant onze ans, jusqu'au moment où vinrent les frères. » Grâce à l'amitié et au dévouement de Jean Pertinand, le curé d'Ars est aussi à l'aise à l'école des garçons qu'il l'est à la Providence. Mais après avoir accepté à contrecœur l'arrivée des religieuses dans l'école des filles, c'est lui-même qui propose d'assurer la stabilité de celle des garçons en la confiant à la congrégation des frères de la Sainte-Famille de Belley. Il connaît le fondateur de cette communauté, le frère Gabriel Taborin, et prend l'initiative de lui proposer l'école d'Ars. Les frères prennent possession de l'école en 1849, et M. Vianney trouvera en eux non seulement des maîtres compétents, mais aussi des collaborateurs affectueux et dévoués.

Diableries

Dans les derniers mois de 1823, vers neuf heures du soir, Jean-Marie Vianney entend de grands coups frappés dans la porte de la cure. Il ouvre la fenêtre de l'étage et ne voit personne. Vers onze heures, le bruit recommence. Il descend dans la cour. Personne. Il rentre et s'enferme à double tour. Les nuits suivantes les mêmes bruits recommencent. Probablement des voleurs veulent-ils s'emparer des riches ornements envoyés récemment par François des Garets. Le curé recourt à quelques garçons du village pour garder le presbytère. Le premier est le charron André Verchère ; il a laissé lui-même un récit de l'affaire : « La nuit venue, je me rendis à la cure. Je causai et me chauffai avec M. le Curé jusqu'à dix heures. A ce moment, j'allai me coucher dans la chambre qui m'était destinée. Vers une heure du matin, j'entendis secouer avec violence la poignée et le loquet de la porte de la cour. En même temps, j'entendis comme des coups de massue contre la même porte qui retentissaient dans le presbytère comme le bruit du tonnerre. Je sautai à bas de mon lit, saisis mon fusil et ouvris la croisée pour voir ce que c'était. Je n'ai rien vu. Le bruit continua, moins fortement, dans une autre partie du presbytère. Pendant tout le temps que dura le bruit, c'est-à-dire l'espace de cinq minutes, toute la maison trembla. Mes jambes commencèrent à trembler et je m'en suis ressenti pendant huit jours. Dès que le bruit commença, M. le curé éclaira une lampe et vint dans ma chambre. "Avez-vous entendu du bruit ?" me dit-il — "Oui, certainement ; j'ai ouvert la croisée et je n'ai rien vu." — "Eh bien ! Verchère, il faut retourner vous coucher." Je le fis et n'entendis plus rien. »

Le lendemain, le curé demande au jeune homme de revenir, mais il répond : « Monsieur le Curé, j'en ai assez comme ça. » Deux autres viennent passer la nuit, mais ils dorment bien et n'entendent rien, alors que le curé est, lui, réveillé par des bruits terrifiants. Une nuit il neige. Les coups arrachent à nouveau Jean-Marie au sommeil. La cour toute blanche ne porte aucune trace de pas. « C'est ce qui a fait penser à M. le curé — écrit Catherine Lassagne — que ce n'étaient pas des voleurs, mais le démon qui voulait l'effrayer. Alors il renvoya ses gardes et resta seul, armé du secours du Bon Dieu. »

Durant toute l'année 1824, Jean-Marie est réveillé presque chaque nuit par celui qu'il prend l'habitude d'appeler familièrement le grappin. Il confie à la comtesse des Garets : « Cette nuit, le grappin ne m'a pas laissé fermer l'œil. » Plus tard, devant son évêque, il reconnaît : « Au commencement j'avais peur, puis je me suis habitué : je me tourne vers Dieu, je fais le signe de la croix, j'adresse quelques paroles de mépris au démon. » Et à ses familiers, il lâche avec malice quelques appréciations peu flatteuses sur le grappin : « Le démon est bien méchant, mais il est bien bête ! — Il est en colère, c'est bon signe — Oh ! je m'y habitue. Il ne peut rien sans la permission de Dieu — Je sais que c'est le grappin, ça me suffit. Depuis le temps que nous avons affaire ensemble, nous sommes quasi-camarades. »

Et ce pauvre démon devient pour lui un sujet de plaisanterie : à un pénitent dont il juge la conversion mal assurée, il dit : « Ah mon petit ! le diable ne paraît pas à tout le monde de la même manière. A moi, il apparaît toujours vilain, et à vous il apparaît toujours joli. » Un jour un visiteur d'esprit quelque peu voltairien lui dit ironiquement : « Il paraît que vous voyez le diable ? » Et le curé de répondre vivement : « Oui, et en ce moment même. »

Le ton joyeux de Jean-Marie nous montre qu'il n'accorde pas tellement d'importance à ces manifestations sonores de l'esprit du mal. Il dit de cette époque : « J'étais tourmenté pendant le jour par les hommes, et pendant la nuit par le démon, et j'éprouvais une grande paix. » On a l'impression que ses paroissiens ont eu plus peur que lui et sans doute leurs récits ont-ils ajouté inconsciemment pas mal de fantastique à ces « diableries ». Après 1825, elles deviennent rares, si elles ne disparaissent pas complètement. Cependant, en 1830, un fils de la veuve Bibost, d'Écully, l'abbé Emmanuel Bibost, vient passer quelques jours de retraite au presbytère d'Ars, et il assure que chaque nuit il entend un grand vacarme et même des paroles : « Vianney, Vianney, que fais-tu là ! Va-t-en ! Va-t-en ! » Réalité ? Rêve ? Qui peut le dire ? Par contre, en 1839, l'abbé Tailhades passe plusieurs mois dans la maison, il n'entend rien.

De même, l'abbé Raymond, qui devient l'auxiliaire du curé d'Ars en 1845, est assez réservé sur les manifestations du « grappin » envers son curé. Dans le témoignage qu'il a rédigé sur M. Vianney, il expose avec respect, mais fermement, les raisons de son scepticisme. En huit ans de cohabitation quotidienne, il n'a jamais rien entendu d'extraordinaire. Quelquefois M. Vianney lui dit : « Entendez le grappin, comme il fait du bruit ! » Mais il n'entend rien et ne voit rien. Il suppose qu'en raison des grandes austérités du curé, de tels phénomènes peuvent être produits par son imagination fatiguée ou que le saint prêtre souffre d'hallucinations causées par le manque de sommeil. Un fait, cependant, lui paraît inexplicable, et il le signale honnêtement : alors que M. Vianney prêtait la main à la mission de Saint-Trivier-sur-Moignans, en 1825, un bruit extraordinaire s'est produit dans le presbytère, entendu par tous les prêtres présents ; réveillés en sursaut, ils se précipitent chez M. Vianney et le trouvent bien tranquille ; il leur dit seulement de se rassurer : « Je sais ce que c'est. »

Jean-Marie Vianney tire lui-même la conclusion de ces faits étranges : « Le Bon Dieu est bien meilleur que le diable n'est méchant. C'est lui qui me garde. Ce que Dieu garde est bien gardé. »

J.M.B. VIANNEY.
Curé d'Ars, né à D'Ardilly
en 1786.

Ars envahi

Il faut, pour comprendre comment l'extraordinaire renommée du curé d'Ars s'est propagée, rappeler l'importance qu'ont eu, après 1815, les missions diocésaines. Après les troubles de la Révolution et de l'Empire, les paroisses étaient désorganisées ; les biens d'Église avaient été vendus ; des bâtiments tombaient en ruines ; beaucoup de prêtres étaient morts dans la persécution ; les communautés religieuses avaient été dispersées. A partir de 1815, l'un des grands moyens utilisés par les évêques pour redonner vie aux paroisses est la prédication des missions : pendant quelques semaines, une équipe de prêtres choisis parmi les plus doués, s'installe dans un bourg ou une ville. Ils prêchent, organisent des cérémonies somptueuses, restaurent les églises, établissent des associations charitables, règlent les problèmes demeurés en suspens, comme la régularisation religieuse des mariages civils contractés pendant la Révolution, et surtout ils exhortent à la confession. Le sacrement de pénitence est considéré alors comme le premier signe d'une conversion sérieuse, d'autant plus qu'il a été souvent délaissé, ou même méprisé. Beaucoup de ces missions ont un succès prodigieux. Les missionnaires ne suffisent pas à toutes les tâches, et ils font appel aux prêtres des paroisses voisines pour accueillir et absoudre les pénitents.

En 1823, du 9 janvier au 21 février, les prêtres de la Société des Chartreux de Lyon donnent une mission à Trévoux, à quelques kilomètres d'Ars. Trévoux compte à l'époque trois mille habitants. Depuis trente ans, beaucoup d'habitants se sont écartés de toute pratique religieuse et les jeunes n'ont guère été instruits par leurs aînés. Dès l'ouverture de la mission, la ville est bouleversée. Les confesseurs doivent rester des heures à l'écoute des pénitents. Parmi eux, Jean-Marie Vianney. On a retrouvé sa signature sur un registre paroissial : « Je soussigné, curé d'Ars, aidant-missionnaire. » Les premiers qui sont allés par hasard se confesser à lui sortent enchantés de l'accueil qu'il leur a réservé : sa bonté, sa perspicacité, sa profondeur les ont bouleversés. Ils le disent à leurs amis. Du coup, on prend son tour et on se met à attendre parfois plusieurs heures pour pouvoir se confesser à « l'aidant-missionnaire ». Même le sous-préfet parle de lui, et avec quelle admiration ! « Ce prêtre a de grandes vues ; il donne de sages conseils, sa direction est douce et ferme ; mais il faut se soumettre et se résigner… Au reste, il a raison, et je tâcherai de lui obéir. »

La mission terminée, M. Vianney rentre chez lui. Mais certains de ceux qu'il a rencontrés reviennent le voir à Ars. Ou ils lui envoient leurs amis. Dans toute la région, on se met à parler du curé d'Ars : il n'y a pas jusqu'aux chemineaux qu'il a si souvent accueillis qui n'aillent répétant de ferme en ferme : « C'est un saint. » La rumeur se répand jusqu'à Lyon, et lorsqu'en août 1823 le curé emmène sa paroisse en pèlerinage à Fourvière, déjà beaucoup chuchotent : « Voilà le saint d'Ars avec ses paroissiens ! »

A partir de 1826 un flot continu de pèlerins se dirige vers Ars. Jusqu'à sa mort le pauvre curé va être assailli par ces milliers d'hommes et de femmes qui viennent chercher auprès de lui le pardon de Dieu et une raison d'espérer. Durant les quinze dernières années de sa vie, il confesse douze à quinze heures par jour.

En 1834, le comte Prosper des Garets évalue le nombre des pèlerins à trente mille dans l'année. Quel que soit le degré de précision de ce chiffre, c'est énorme pour un si petit village. Si l'on veut faire une comparaison, on peut se souvenir que, en 1858-1860, lorsque les pèlerins arrivent en grand nombre à Lourdes, ils y trouvent les structures d'accueil d'une petite ville de quatre mille habitants. Elles seront vite insuffisantes, certes. Mais à Ars, on ne trouve même pas un boulanger puisque chacun cuit son pain à la maison ; il n'y a même plus de cabaret, et pour cause ! S'il fait mauvais temps, un seul lieu d'accueil est possible : l'église. Seulement cette église, malgré ses agrandissements, demeure fort petite. Si deux cents personnes s'y entassent, elles étouffent, surtout l'été : aucune aération n'est prévue. Et en hiver il n'y a pas de chauffage.

Jusque vers 1840, ce sont surtout des gens de la région lyonnaise qui se pressent pour voir M. Vianney. Ils peuvent arriver tôt le matin, et après avoir passé quelques heures dans les files d'attente, repartir le soir même. Mais en même temps que grandit la célébrité de celui que l'on commence à appeler le saint curé d'Ars, de plus en plus de monde vient, et de plus en plus loin. Il faut maintenant attendre non seulement des heures mais des journées entières pour obtenir la rencontre tant désirée. Quand le soir tombe, il faut dormir dans les granges, sur le foin. Et heureux ceux qui ont eu la sagesse d'apporter quelques provisions ! Les paysans peuvent fournir un peu de lait et de fromage, mais pas pour tout le monde. M. Vianney se préoccupe de cet état de choses. Le maire aussi qui, à partir de 1838, est Prosper des Garets. Il est d'ailleurs le premier à aménager des chambres à louer dans une maison lui appartenant. Mais cet effort est insuffisant.

La présence du Père Lacordaire dans l'auditoire atteste la renommée du curé d'Ars.

Devant cette situation, le curé approuve le projet d'un fermier du château, Philibert Mortier, qui ouvre la première véritable hôtellerie à Ars sous l'enseigne de « Notre-Dame des Grâces ». Il encourage aussi André Pertinand, le frère de l'instituteur, à ouvrir un restaurant dans la maison de ses parents.

De 1840 à 1846, une trentaine de familles nouvelles s'installent à Ars, pour la plupart des commerçants dont douze marchands d'objets de piété. Là, notre pauvre curé est loin de tout approuver mais on n'en est plus à lui demander son avis. Notamment on vend des images d'Épinal qui le représentent lui-même. Il est au centre, avec son surplis et son étole, beaucoup mieux peigné et habillé qu'en réalité, et, tout autour une série de vignettes le décrivent faisant des miracles : un père de famille est rendu à la santé, il donne la parole à un enfant muet, il restitue l'usage des jambes à un boiteux, etc. Le dessinateur ne lui a pas posé d'auréole, mais tout juste ! Lorsque M. Vianney voit ces images — et il les voit fatalement car elles sont pendues sur des fils aux étalages, et même de naïfs pèlerins viennent lui demander de bénir celles qu'ils veulent ramener chez eux — il en est fort contrarié. Guillaume Villier raconte : « Il voulut les faire enlever et disparaître. Les marchands le supplièrent très instamment de leur laisser vendre : "C'est un moyen, lui disaient-ils, de gagner leur pauvre vie." Le bon curé se laissa toucher. "Combien vendez-vous ce portrait ?" leur demanda-t-il. — "Deux sous, M. le curé." — "Ah ! c'est bien assez cher pour ce misérable carnaval... Eh bien, faites donc !" Et après il n'eut presque plus l'air de rien. »

Cependant, à Catherine Lassagne, il lui arrive

souvent de se plaindre : « Toujours ce carnaval ! Voyez comme je suis malheureux, on me pend, on me vend... Pauvre curé d'Ars ! » Devant une gravure plus soignée, il s'exclame : « On a fait mon portrait. C'est bien moi, j'ai l'air bête, bête comme une oie. » Mais pour lui la charité prime toujours. Il refuse d'abord de bénir ces images. Cependant, comme on lui fait remarquer la déception de tant de braves gens venus de si loin, il accepte de les bénir avec d'autres images de piété et des médailles. Et il en vient à reconnaître avec sa bonhomie habituelle :

« Mon carnaval fait parfois du bien. Le Bon Dieu se sert de tout. » Son sens de l'humour ne l'abandonne jamais. A propos d'une édition d'images plus luxueuses et que les marchands vendent moins bien : « On est bien averti à chaque instant du peu qu'on vaut. Quand on me vendait deux sous, j'avais encore des acheteurs ; depuis qu'on me vend trois francs, je n'en ai plus ! »

Paraboles

Le ver et la chenille : *La langue du médisant est comme un ver qui pique les bons fruits, une chenille qui salit les plus belles fleurs en y laissant la trace de son écume.*

L'araignée : *Il y a des personnes qui sont semblables à l'araignée qui change en poison la meilleure chose.*

La sangsue : *Un bon chrétien va toujours en avant dans la perfection, comme un poisson qui plonge au fond des mers. Pour nous, hélas ! nous nous traînons comme une sangsue dans la vase.*

Le papier : *Il y en a qui sont tellement faibles, que lorsqu'ils sont un peu tentés, ils se laissent aller comme du papier mou.*

La· graine de navette : *Qu'est-ce que nos péchés, si nous les comparons à la miséricorde de Dieu ? C'est une graine de navette devant une montagne.*

En l'honneur
de sainte Philomène?

En 1832 une épidémie de choléra ravage la France et fait des milliers de victimes. Dans certaines villes, notamment Paris et Marseille, une véritable panique s'instaure. La région lyonnaise est à peu près épargnée. N'empêche, on y a grand peur. Beaucoup de prédicateurs, et même des évêques comme Mgr Devie, voient dans le fléau un châtiment divin après les troubles de 1830 et un appel à la conversion. M. Vianney lui-même s'écrie un dimanche avec quelque grandiloquence : « Mes frères, Dieu est en train de balayer le monde ! » En tout cas, à Ars, avec l'aide de son serviteur, Dieu balaie les consciences. La peur de l'épidémie contribue à augmenter encore l'afflux des pèlerins. M. Vianney se lève de plus en plus tôt, se couche de plus en plus tard. Il ne néglige pas sa paroisse, ni la Providence, ni l'école des garçons, ni le catéchisme, ni les visite aux malades, mais il reçoit aussi, autant qu'il le peut, tous ces gens qui lui causent bien des soucis en envahissant son église et son village.

Le curé a une grosse préoccupation : on veut le voir, lui, mais lui — il en est persuadé — il n'est rien. Son devoir est d'orienter la ferveur des fidèles vers Dieu. Comment procéder en dehors des entretiens privés ? Il faudrait à Ars une raison visible, officielle, de devenir un lieu de pèlerinage ; car un pèlerinage ne se fait pas seulement pour rendre visite à un pauvre prêtre. Or Jean-Marie a une grande dévotion envers une petite martyre romaine, sainte Philomène. Pourquoi ne pas orienter le pèlerinage vers le souvenir de la jeune sainte ? Une jeune fille, c'est le symbole de la pureté, pureté à conserver ou à reconquérir ; une martyre, c'est le signe du témoignage et de l'amour de Dieu jusqu'au don de sa vie. Est-ce que l'on peut proposer davantage à des hommes et des femmes qui viennent ici pour retourner leur cœur devant Dieu et repartir d'un bon pas sur les chemins de la vie ?

Mais d'où vient le culte de sainte Philomène ? L'histoire est simple. En 1802, en faisant des fouilles dans la catacombe de Priscille, à Rome, on découvre le corps d'une jeune chrétienne, avec une inscription gravée que l'on a cru pouvoir lire : « La paix à toi Philomène. » Quelques prêtres fervents se persuadent très vite — trop vite — qu'il s'agit d'une martyre. Ils s'enthousiasment et obtiennent du pape l'autorisation de transférer ce corps en l'église de Mugnano où un pèlerinage populaire s'organise. Une Lyonnaise bien connue pour sa charité, Pauline Jarricot, émue par cette touchante histoire, rapporte d'Italie des reliques de la jeune sainte. Jean-Marie Vianney l'a rencontrée chez l'abbé Balley. En 1833, il fait bâtir sur le côté de son église une chapelle dédiée à sainte Philomène ; il y dépose quelques reliques confiées par Pauline. Et il envoie les pèlerins qui l'assaillent prier la petite sainte d'être leur intermédiaire auprès de Dieu et de leur procurer les grâces que lui, indigne, est incapable d'obtenir pour eux. En fait, il devra se rendre à l'évidence : les pèlerins viennent pour lui et pour personne d'autre. Et s'ils se prêtent à son jeu, c'est parce que lui-même le leur demande avec instance.

On sait qu'en 1961 les autorités de l'Église ont jugé que le culte de sainte Philomène devait être supprimé. Une enquête historique sérieuse a conclu que la jeune fille romaine dont on avait trouvé le corps ne pouvait avoir été une martyre, et que rien ne prouvait qu'elle s'appelât Philomène. Mais après tout, il est possible que Jean-Marie ait eu raison quand même, et que la petite inconnue qu'il appelait Philomène soit auprès de Dieu. Dans la simplicité de son cœur, peut-être était-il plus proche de la vérité que nos savants historiens...

Paraboles

Si nous pouvions interroger les saints, ils nous diraient que leur bonheur est d'aimer Dieu et d'être assurés de l'aimer toujours.

Les saints sont comme autant de petits miroirs dans lesquels Jésus-Christ se contemple.

Tous les saints ont une grande dévotion à la Sainte Vierge, aucune grâce ne vient du ciel sans passer par ses mains.

Les saints avaient un bon cœur, un cœur liquide.

Pour être saint, il faut être fou, avoir perdu la tête.

Là où les saints passent, Dieu passe avec eux.

Les amis du Bon Dieu se reconnaissent partout.

Les secrets d'un confesseur

Maintenant, c'est dès une heure du matin que, sa lanterne à la main, Jean-Marie Vianney se dirige vers son église. Comme il en a pris l'habitude en arrivant à Ars, il se met en prière à genoux devant le Saint-Sacrement. Mais le temps est fini des très longues oraisons. Dans la pénombre de l'église, déjà des femmes attendent. Si elles sont très nombreuses, surtout à la belle saison, au bout d'une demi-heure le curé rejoint son confessionnal. L'hiver, la foule est moins dense, il peut prier plus longtemps.

De une heure et demie ou deux heures, jusqu'à six heures, il écoute les pénitentes. Il n'en garde aucune longtemps : moins de cinq minutes en général, rarement une dizaine de minutes. Puis il se lève, il célèbre la messe à six heures en été, sept heures en hiver. Il se prépare, à genoux devant l'autel, pendant une vingtaine de minutes. Il célèbre sans traîner. Puis il fait une longue action de grâce, il ne faut pas le déranger alors et il résiste à ceux qui veulent attirer son attention et qui vont jusqu'à tirer sur le bas de son surplis. Ensuite il passe à la sacristie et il bénit les chapelets et médailles présentés par les pèlerins ; il signe les images qu'ils viendront reprendre, simplement avec ses initiales J.M.B.V. Puis il court à la Providence et boit une tasse de lait.

Rapidement de retour, il entre à la sacristie pour confesser les hommes. Il a fait installer une sorte de cathèdre de bois sur laquelle il s'assied et un prie-Dieu pour les pénitents ; il peut ainsi les voir, les entendre, leur parler de façon plus familière que dans le sombre confessionnal de la chapelle Saint-Jean-Baptiste. Vers dix heures, il interrompt les confessions, gagne le chœur de l'église, et, toujours à genoux, récite une partie de son bréviaire. Après une vingtaine de minutes, il reprend son poste de confesseur d'un côté ou de l'autre.

A onze heures, il s'arrête. C'est l'heure où il y a le plus de monde, l'église est comble. Dans la rue, devant l'église, la foule stationne. Il a souvent de la peine à se rendre à la Providence, au milieu de tous ces gens qui veulent le toucher, obtenir un mot de lui ou une bénédiction. Il fait le catéchisme pendant une heure pour les enfants, mais les pèlerins se pressent aux fenêtres, ou arrivent à se glisser dans la salle. Après quelques années, il renonce à aller à la Providence, et il instruit les enfants — et les autres — dans la nef de l'église. Il fait alors construire la petite chaire qui lui permet de parler commodément à ceux qui l'entourent.

Vers midi, après avoir avalé, sans s'asseoir, son léger repas, il rentre au presbytère en traversant la foule. Il ferme la porte au verrou. D'après Catherine Lassagne, il lui arrive dans ce peu de temps de « dîner, balayer sa chambre, faire sa barbe, dormir et visiter ses malades ». Puis il retourne à l'église. Il se remet au confessionnal pour les femmes jusque vers cinq heures. Après une pause brève, il retourne à la sacristie entendre les hommes jusque vers sept ou huit heures. Ensuite, avec ceux qui sont là, il récite le chapelet et la prière du soir. Puis il rentre au presbytère. Il reçoit encore quelques personnes et, vers neuf ou dix heures s'enferme — enfin seul ! — dans sa chambre. Il termine son bréviaire, il prie, il lit un peu la vie des saints, il va s'allonger sur sa paillasse environ trois heures... et encore il reconnaît que souvent, même allongé, il ne dort pas. A la lueur de sa veilleuse en été, de l'âtre en hiver, il regarde les gravures accrochées au mur : « Quand je ne dors pas, j'ai du plaisir à regarder mes tableaux... je suis dans la compagnie des saints. La nuit, quand je me réveille, il me semble qu'ils me regardent eux aussi et qu'ils me disent : "Eh quoi, paresseux, tu dors, et nous,

nous passons le temps à veiller et à prier Dieu !'' »

Après trois heures de repos, parfois deux, il saute de son lit, se passe un peu d'eau sur le visage et les mains, enfile sa soutane, et le voilà parti.

Naturellement, seuls les pénitents savent ce qui se passe dans le secret entre eux et leur confesseur lorsqu'ils viennent lui demander le pardon de Dieu. Il est certain qu'au début de son ministère à Ars, Jean-Marie Vianney est trop exigeant ; il considère que pour recevoir l'absolution, il faut déjà être entièrement tourné vers Dieu. Il comprend peu à peu qu'il lui faut respecter des transitions. « Oh, la patience de Dieu ! » s'exclame-t-il.

Le ministère pastoral avec son écoute chaque jour renouvelée des problèmes de chacun, le grand nombre des pénitents, les sages conseils de son évêque Mgr Devie, la bonté profonde de son cœur et la grâce de l'Esprit Saint, tout a poussé Jean-Marie à renoncer à la sévérité pour n'être plus que l'homme du pardon et de la miséricorde. Lui-même dit au frère Athanase : « Puis-je être sévère pour des gens qui viennent de si loin, qui font tant de sacrifices, qui souvent sont obligés de se cacher pour venir ici ? » En une autre circonstance : « Le Bon Dieu m'a fait voir combien il aime que je prie pour les pauvres pécheurs. » Ce que, dans son enseignement, il dit de Dieu doit bien refléter quelque chose de sa manière d'être : « Le Bon Dieu aura plus tôt pardonné à un pécheur repentant qu'une mère n'aura retiré son enfant du feu. »

Ceux qui ont confié quelque chose de leurs entretiens avec le curé d'Ars insistent sur ses facultés de discernement. Après quelques mots de son interlocuteur, il comprend le reste, et il trouve le moyen de faire préciser l'essentiel, même ce dont on n'avait peut-être pas encore bien claire conscience. Il est bref, une question pertinente parfois, un mot d'exhortation, et c'est tout. Un témoin raconte : « Je lui posais rapidement deux questions que j'avais préparées. Il répondit sur le champ, résolument, sans la moindre hésitation. » Cependant, il atteint toujours le fond du cœur, il se passe quelque chose. Son immense succès de confesseur ne s'explique pas autrement, dans la mesure d'ailleurs où il s'explique... car enfin bien d'autres prêtres de son temps confessent eux aussi avec bonté et discernement. Pourquoi lui ? Il faut bien admettre qu'il a reçu une grâce spéciale, un don, un charisme. Il lui arrive aussi de soupirer, de s'émouvoir. La comtesse des Garets assure que « ses larmes étaient quelquefois toute son exhortation ». Un autre témoin déclare : « Il versait des larmes comme s'il avait pleuré ses propres péchés. » Et à un pénitent qui s'étonne de le voir aussi ému, il dit : « Je pleure de ce que vous ne pleurez pas. »

Certaines personnes souhaitent l'entretenir en dehors de la confession. Tel homme, qui se juge incroyant, vient le voir plutôt par curiosité. M. Vianney n'est ni un philosophe ni un raisonneur. Il ne sait que confesser. Avec autorité, il dit : « Mettez-vous là, confessez-vous. » L'homme obéit, et il se relève bouleversé et heureux. Et le confesseur l'envoie communier : « Ne dites pas que vous n'en êtes pas digne. C'est vrai, vous n'en êtes pas digne, mais vous en avez besoin. » De telles scènes se reproduisent plusieurs fois et les témoignages de conversion sont nombreux.

Paroles sur le pardon

Pour recevoir le sacrement de pénitence, il faut trois choses. La Foi qui nous découvre Dieu présent dans le prêtre. L'Espérance qui nous fait croire que Dieu nous donnera la grâce du pardon. La Charité qui nous porte à aimer Dieu et qui met au cœur le regret de l'avoir offensé.

Il faut mettre plus de temps à demander la contrition qu'à s'examiner.

Je sais bien que l'accusation que vous faites vous vaut un petit moment d'humiliation... Et même, est-ce vraiment humiliant d'accuser vos péchés ? Le prêtre sait bien à peu près ce que vous pouvez avoir fait.

Le Bon Dieu, au moment de l'absolution, jette nos péchés par-derrière ses épaules, c'est-à-dire qu'il les oublie, il les anéantit, ils ne reparaîtront plus jamais.

Le Bon Dieu sait toutes choses. D'avance il sait qu'après vous être confessé, vous pécherez de nouveau, et cependant il vous pardonne. Quel amour que celui de notre Dieu qui va jusqu'à oublier volontairement l'avenir pour nous pardonner !

En fuite !
(1843)

Jean-Marie Vianney est de petite taille mais de constitution robuste. Cependant, tant va la cruche à l'eau...

Par suite de l'invasion des pèlerins, le surmenage s'ajoute aux austérités. Sa santé en souffre beaucoup ; lui-même l'avoue un jour d'abandon à son ami l'abbé Tailhades qui note tout de suite leur entretien le 14 octobre 1839. Voici ces notes : « Me parlant de ses fatigues de la nuit et du jour, M. Vianney me dit : ''Mon cher ami, je ne pourrais pas les soutenir en travaillant comme je le fais et en prenant si peu de nourriture, sans une grâce particulière. Ce ne serait rien, mais si vous saviez comme je souffre ! Des coliques affreuses me prennent très souvent, et à présent presque tous les jours, mais si douloureuses que je ne puis les supporter. Mon corps enfle, et je tomberais évanoui si je ne sortais promptement et n'avais recours à quelques adoucissements.'' »

Pendant l'hiver, il souffrait beaucoup du froid. « Il y a un an, me dit-il, un jour mes pieds gelèrent. La peau de mes talons tomba et resta dans mes bas quand je les quittais. Lorsque je sors du confessionnal, il faut que, de mes mains je cherche mes jambes pour savoir si j'en ai. Je sors quelquefois de l'église en m'appuyant contre les chaises et contre les murailles. J'ai peine à me tenir. Je ne sais pas, quelquefois, où je suis ; de grandes douleurs me prennent à la tête et me font bien souffrir. Je ne sais vraiment pas comment je puis y résister. Le Bon Dieu est bien bon. »

Sur les instances de ses amis, Jean-Marie consent à voir un médecin, le docteur Saunier qui devient son ami, mais a bien du mal à se faire obéir par son original patient. En septembre 1842, Jean-Marie est obligé de demeurer dans son lit. Le docteur Saunier diagnostique une fluxion de poitrine et réussit à enrayer le mal.

Quelques mois plus tard, au début de mai 1843, rechute. Le curé doit interrompre sa prédication du soir. Très vite son état s'aggrave. Ses amis s'empressent autour de lui. Le docteur Marion, de Trévoux, se joint au docteur Saunier. Ils appellent deux autres médecins en consultation. Et Jean-Marie qui, malgré son état, ne perd pas une occasion de sourire, leur lance : « Je soutiens en ce moment un grand combat. » — « Et contre qui ? » — « Contre quatre médecins. S'il en vient un cinquième, je suis mort. » Mais trêve de plaisanteries, la pneumonie s'aggrave.

Le 11 mai, tous les prêtres du voisinage se réunissent pour lui donner les derniers sacrements. Il se joint aux prières en toute lucidité. Il a demandé qu'on sonne la cloche de l'église : « Allez faire sonner ! Ne faut-il pas que les paroissiens prient pour leur curé ! »

Deux jours plus tard, une grande joie parcourt Ars : M. Vianney va mieux, il commence à reprendre des forces. Lui-même n'a bientôt plus qu'une idée en tête : se faire conduire à l'église pour y remercier Dieu et la sainte Vierge, sans oublier sainte Philomène. Le 19 mai, on peut le transporter. Quelques jours plus tard, il va pouvoir recommencer à dire la messe.

Jean-Marie Vianney a vu dans sa guérison une grâce de Dieu. Ses amis font poser dans l'église en ex-voto une peinture qui décrit l'événement. On y voit M. Vianney entouré d'amis, placé sous le regard bienveillant de sainte Philomène ; il reçoit la communion, les mains jointes pour la prière.

Tout l'été 1843, alors qu'il est mal remis de sa pneumonie, le flot des pèlerins ne s'arrête pas. Le curé ne peut plus consacrer à sa paroisse que peu de temps. Il se sent coupable, plus que jamais indigne d'être curé et incapable d'en exercer correctement les fonctions. Il rêve de quitter Ars. Il reçoit cependant l'aide fréquente d'un jeune prêtre, l'abbé Antoine Raymond, curé de Savigneux, village situé tout juste à deux kilomètres d'Ars.

En septembre 1843, Jean-Marie est épuisé tant au physique qu'au moral. Il veut s'en aller, d'abord pour se reposer un peu auprès de son frère François, à Dardilly dans la maison paternelle, ensuite pour obtenir de son évêque un changement d'affectation. Il a plusieurs fois entretenu Mgr Devie de son désir de se retirer, mais celui-ci a toujours fait la sourde oreille. Cette fois il a un plan bien précis qu'il confie à l'abbé Raymond et pour lequel il lui demande sa collaboration. Pour ne plus avoir la responsabilité d'un curé, il souhaite devenir simple chapelain d'un petit pèlerinage à la Sainte Vierge. Le 11 septembre 1843, M. Raymond accepte de porter une lettre en ce sens à Mgr Devie et de ramener la réponse à Dardilly.

M. Vianney décide de partir pour Dardilly en pleine nuit, afin de ne pas en être empêché par ses paroissiens et les pèlerins. Ce même 11 septembre, il va dire au revoir aux directrices de la Providence à qui il demande le secret. Le lendemain, vers une heure du matin, il part. Cependant quelques personnes sont déjà à l'attendre à la porte de l'église ; elles essaient de le retenir et alertent quelques amis dont l'instituteur Jean Pertinand. Mais le curé tient bon, et part. L'instituteur, qui connaît sa faiblesse, l'accompagne. Le voyage est long et fatigant. En arrivant chez son frère, Jean-Marie n'en peut plus : « Les pieds meurtris et déchirés, il se trouva mal et fut obligé de s'aliter. »

Le lendemain, la paroisse de Dardilly est dans la joie, celle d'Ars dans la désolation. Jean Pertinand, dès son retour, a rendu compte du voyage à M. des Garets qui part à son tour pour Dardilly, bientôt suivi d'un certain nombre de pèlerins. Alors, M. Vianney se met au confessionnal dans l'église de Dardilly... Il est quand même moins pressé qu'à Ars, et attend paisiblement la réponse de Mgr Devie. M. Raymond a pu joindre l'évêque. Celui-ci marque sa préférence pour un retour de M. Vianney à Ars dès qu'il se sera un peu reposé. M. Raymond repart pour Dardilly où les choses ne se passent pas bien. François Vianney, s'il est heureux d'accueillir son frère, supporte mal de voir sa maison envahie par quantité de curieux. Pourtant, parmi les importuns, une visite a dû aller directement au cœur de M. Vianney, celle de vingt-trois jeunes hommes d'Ars venus lui témoigner leur affection ; il a toujours eu plus de mal à gagner leur confiance que celle des jeunes filles et cette démarche a dû être un vrai réconfort pour lui.

M. Vianney décide de ne pas tarder davantage et d'obéir à son évêque. Cela fait une semaine qu'il a quitté Ars, il est temps de rentrer. Il en est sûr maintenant : Dieu le veut à Ars et pas ailleurs. M. Raymond envoie un messager annoncer aux habitants d'Ars le retour de leur curé. La nouvelle se répand comme une traînée de poudre. Catherine Lassagne a noté : « Tout le monde courait, les ouvriers quittaient leur travail, les batteurs de blé quittaient leur buttoir pour venir le voir. Dans un moment, la place fut remplie de ses paroissiens qui ne savaient exprimer leur joie que par des larmes d'attendrissement. Ils ne disaient point de paroles, ils se jetaient tous à genoux devant leur pasteur pour recevoir sa bénédiction. Il fit le tour de la place, étant soutenu du bras de M. Raymond, en donnant des bénédictions comme un évêque. Il souriait, il avait l'air heureux. Il disait : ''C'était donc tout perdu ! Eh bien, tout est retrouvé.'' »

C'était le 19 septembre. Le lendemain, vers une heure du matin, il sort du presbytère et entre à l'église. Tout recommence.

Cependant l'abbé Raymond vient de plus en plus fréquemment aider M. Vianney. En 1845, Mgr Devie accepte qu'il s'installe de façon stable à Ars. Il y restera huit ans. Mais son caractère autoritaire et intransigeant va rapidement choquer les paroissiens d'Ars et contrarier M. Vianney. Celui-ci ne se plaindra jamais ; il défendra toujours son auxiliaire. Cependant, après le départ de M. Raymond, il avoue à Catherine : « Il m'a bien fait souffrir un peu » et une autre fois : « Si je n'avais pas demeuré avec M. Raymond, je n'aurais pas su si j'aimais le Bon Dieu. »

En septembre 1853, l'abbé Raymond est nommé curé dans une autre paroisse. Le nouvel évêque, Mgr Chalandon, le remplace auprès de M. Vianney par l'abbé Toccanier qui fait partie du groupe des missionnaires diocésains. Ceux-ci installent en même temps une permanence à Ars.

Paraboles

La chandelle : *Vous avez vu ma chandelle cette nuit. Ce matin, elle a fini de brûler. Où est-elle ? Elle n'existe plus, elle est anéantie. De même, les péchés dont on a reçu l'absolution n'existent plus, ils sont anéantis.*

Le vase : *Dieu n'opère dans nos âmes que selon le degré de nos désirs. Un vase prend de l'eau à une fontaine selon sa capacité.*

La farine : *La terre entière ne peut pas plus contenter une âme immortelle qu'une pincée de farine dans la bouche d'un affamé ne suffit à le rassasier.*

La pluie : *La prière est à notre âme ce que la pluie est à la terre. Fumez une terre tant que vous voudrez. Si la pluie manque, tout ce que vous ferez ne servira à rien.*

Laissez-moi partir !
(1853)

Malgré la décision apparemment ferme de demeurer à Ars, prise en 1843 par Jean-Marie Vianney, son désir de se retirer pour finir sa vie dans la prière et la pénitence ne l'a pas vraiment quitté. Les difficultés rencontrées dans la collaboration avec son auxiliaire M. Raymond l'ancrent encore dans son dessein. Si tout ne va pas aussi bien qu'il le souhaite dans la paroisse, c'est évidemment à cause de son incapacité à exercer la charge de curé... En 1847 M. Vianney écrit à Mgr Devie à propos de ses paroissiens : « Si vous voulez les sauver, il faut absolument me laisser partir. »

Au début de 1850, en apprenant les projets de démission de Mgr Devie, Jean-Marie juge bonne l'occasion de lui faire approuver les siens : « Puisque vous êtes si heureux que de travailler à vous retirer pour ne plus penser qu'au ciel, je vous en prie, Monseigneur, de me procurer le même bonheur. » Mais il n'obtient pas de réponse, sinon celle de prendre patience.

Le 4 septembre 1853 M. Toccanier, le nouvel auxiliaire, est présenté à la paroisse, en même temps que l'arrivée des missionnaires diocésains est officiellement annoncée. Les paroissiens et les amis se réjouissent fort, car ils pensent qu'ainsi M. Vianney sera efficacement soutenu, et il n'aura plus de raison de vouloir s'en aller.

Las ! c'est tout le contraire qui se produit. M. Vianney, voyant sa paroisse en bonnes mains, se sent libre. Dès la veille, il a prévenu Catherine Lassagne. « Son intention, dit-elle, était de se retirer dans un appartement séparé, chez son beau-frère, à Lyon, dans la paroisse Saint-Irénée. Je crois qu'il n'avait plus l'intention d'aller à la Trappe, parce qu'il était trop âgé. » Il aurait souhaité se retirer ensuite dans la maison des Pères maristes à La Neylière où son ancien condisciple, le P. Collin, était prêt à l'accueillir.

M. Vianney remet à Catherine une lettre pour son évêque, Mgr Chalandon, afin de se mettre en règle avec lui. A vrai dire il présume un accord que celui-ci est bien loin de vouloir lui donner. Mais cette lettre ne partira même pas, Catherine l'ayant prudemment gardée en attendant les événements. Malgré sa promesse d'observer le secret, elle est trop émue pour rester passive. Le dimanche soir, vers neuf heures, n'y tenant plus, elle avertit les frères. Ceux-ci alertent l'abbé Toccanier. Marie Ricotier, toujours à l'affût de ce qui se passe au presbytère, accourt elle aussi… Vers minuit, le curé s'apprête à partir, mais il se heurte au petit groupe. M. Toccanier essaie de convaincre M. Vianney, mais celui-ci ne veut rien entendre. Il s'élance dans la nuit, les autres le suivent. M. Toccanier utilise alors un subterfuge : sous prétexte d'aider le curé, quelqu'un lui a pris son bréviaire. M. Toccanier lui glisse de le remporter discrètement au presbytère. Puis il dit à M. Vianney qu'il ne peut partir sans son bréviaire. Le pauvre curé, dans son trouble, ne sait plus très bien ce qu'il en a fait. A ce moment la cloche sonne, le frère Athanase utilise les grands moyens pour alerter la paroisse ! Les gens accourent. Mis au courant, ils s'attroupent devant le presbytère. On renvoie les femmes, mais les hommes forment un solide barrage, bien décidés à empêcher leur curé de partir. M. Toccanier essaie toujours de le convaincre. Catherine rapporte : « Il ne disait rien, seulement : "Laissez-moi partir" et il m'a semblé, au son de sa voix, qu'il pleurait. »

Profondément bouleversé par les supplications de tous, Jean-Marie cède. « Ouvrez la porte, dit-il, je veux aller à l'église. » Là, il se met à genoux devant le Saint Sacrement. Longtemps. Puis, de son pas chancelant, il regagne son confessionnal, comme à l'ordinaire.

Paraboles

Le raisin : *Il sort de la prière une douceur savoureuse, comme le jus qui découle d'un raisin bien mûr.*

L'huile : *Comme une huile odorante et fine se répand dans une pièce de drap et s'étend jusqu'au dernier fil, jusqu'au bord, de même la sainte Eucharistie se communique à votre âme.*

L'abeille : *Lorsqu'on a communié, l'âme se roule dans le baume de l'amour comme l'abeille dans les fleurs.*

La glace : *Le cœur de Marie est si tendre pour nous que ceux de toutes les mères réunies ne sont qu'un morceau de glace auprès du sien.*

L'échelle : *L'homme était créé pour le ciel. Le démon a brisé l'échelle qui y conduisait. Notre Seigneur, par sa passion, nous en a reformé une autre. La très Sainte Vierge est en haut de l'échelle qui la tient à deux mains.*

Quel bonheur d'aimer Dieu !
(1853-1859)

En octobre 1853, Mgr Chalandon vient à Ars et il s'entretient longuement avec M. Vianney. Il lui explique qu'il ne peut l'autoriser à quitter sa paroisse. Il lui a fourni toute l'aide possible avec la présence de M. Toccanier et celle des missionnaires, mais il faut que le curé accepte de demeurer jusqu'au bout à son poste.

L'abbé Joseph Toccanier est âgé d'une cinquantaine d'années quand il arrive à Ars. Il est toujours souriant et jovial, et il établit rapidement dans la paroisse un tout autre climat que celui qu'avait imposé l'ombrageux abbé Raymond. Sa charité envers tous, son dévouement à M. Vianney, son absence de toute ambition sont vite reconnus. Les frères de la Sainte-Famille, les sœurs de la Providence, Catherine Lassagne et les autres familiers du presbytère, tout le monde respire. Quant à Jean-Marie, il se trouve presque trop bien ! Il reproche en souriant au supérieur des missionnaires : « Vous ne me dites rien, vous ne me reprenez pas, je ne m'en trouve pas aussi bien qu'auparavant. » Et, toujours sur le mode plaisant, il ajoute : « Je ne savais pas ce que c'était que la charité jusqu'à ce que ces bons messieurs se fussent établis auprès de moi. »

Autour de Noël 1854, Jean-Marie apprend que son frère François est très malade à Dardilly. Fin janvier il part avec M. Toccanier pour lui rendre une dernière visite. Mais il est lui-même très fatigué. « Peu habitué aux voitures, dit M. Toccanier, il ne put supporter longtemps les cahots de la route. Arrivé à Parcieux, bien avant le pont de la Saône : "Je ne peux aller plus loin, dit-il, je me sens défaillir." Force lui fut de rebrousser chemin. » François meurt le 12 avril ; Jean-Marie n'assiste pas aux obsèques, et il en éprouve beaucoup de regret car il est toujours resté très attaché à sa famille, surtout à François et à leur sœur Marguerite qui leur survivra jusqu'en 1877.

En 1857, Mgr Chalandon est nommé archevêque d'Aix-en-Provence, et il est remplacé à Belley par Mgr de Langalerie. Le curé d'Ars voit tout de suite un avantage à la nomination du nouvel évêque. Il dit à l'un de ses familiers — d'un air satisfait souligne celui-ci « Monseigneur va venir ; je lui demanderai de me retirer pour pleurer ma pauvre vie. »

Très peu de temps après son arrivée à Belley,

Mgr de Langalerie vient à Ars. Il parle longuement avec le curé dont il connaît la réputation, il prie avec lui, il s'installe dans sa pauvre cuisine, sur une chaise à demi-dépaillée, pour partager un peu de lait et de pain avec lui. Mais, comme son prédécesseur, il lui demande de rester à son poste. Il sait bien qu'à Ars M. Vianney est irremplaçable et que, d'ailleurs, où qu'il aille, la foule le suivrait immanquablement.

Malgré son humilité, Jean-Marie se résigne mal à cette volonté de l'évêque. Il lui écrit cette lettre bouleversante : « Monseigneur, je deviens toujours plus infirme, il faut que je passe une partie de la nuit sur une chaise ou bien me lever trois ou quatre fois dans une heure. Je prends des étourdissements dans mon confessionnal où je me perds deux ou trois minutes. Les médecins ne voient d'autres remèdes que le repos. Je pense que Votre Grandeur trouvera bon que j'aille passer quelque temps chez mes parents. Vu mes infirmités et mon âge, je veux dire adieu à Ars pour toujours (...) Vianney, pauvre malheureux prêtre. »

De fait sa santé est de plus en plus mauvaise. Lui si rapide dans sa jeunesse ne marche plus qu'avec peine. Le 25 février 1858, harcelé par la foule qui le presse en sortant de la chapelle de la Providence, il manque une marche et tombe la face en avant. Il n'est que légèrement blessé et reprend bientôt son indéfectible fonction au confessionnal.

Catherine et ses amis s'ingénient à apporter quelques adoucissements à son régime de vie trop austère et qui l'épuise. On parvient à lui faire admettre un peu de chocolat dans son lait le matin... A l'époque, le chocolat est considéré comme un médicament reconstituant. Catherine réussit même à lui en faire accepter chaque jour un petit morceau qu'il grignote en milieu de matinée, quand la fatigue est trop forte. Il lui arrive quand même de s'endormir un quart d'heure ou vingt minutes vers six heures du matin — alors qu'il est déjà à son poste depuis plusieurs heures — et aussi dans l'après-midi. Ses amis protègent autant qu'ils le peuvent ces trop rares moments de repos, en calmant l'impatience des pénitents.

L'hiver, il souffre d'engelures. On le convainc d'accepter un petit poêle dans la sacristie, en affirmant que c'est surtout pour les pèlerins et les missionnaires. Il n'est qu'à demi dupe, mais laisse faire.

En été, il fait une chaleur suffocante dans cette petite église toujours remplie et où les cierges allumés dans la chapelle de sainte Philomène brûlent en permanence. En attendant leur tour, les pèlerins sortent prendre l'air dans le petit cimetière qui jouxte l'église. Jean-Marie ne se donne ce soulagement que lorsqu'il n'en peut plus, et encore est-ce bien difficile, puisque chaque fois qu'il apparaît à l'extérieur la foule se précipite vers lui, et ses gardes du corps sont obligés de l'entourer à quatre pour le protéger d'un enthousiasme délirant. On va jusqu'à couper des morceaux de son surplis et de sa soutane !

Cire modelée par Émilien Cabuchet pendant un sermon du curé d'Ars.

Il est toujours patient et cela fait l'admiration de ceux qui le connaissent bien. M. Camelet, le supérieur des missionnaires, dit : « Je crois qu'il avait en cela d'autant plus de mérite qu'il était naturellement d'un tempérament vif et impétueux, comme il était facile de s'en apercevoir à la vivacité de sa démarche, de ses mouvements, de ses regards. » Le frère Athanase remarque : « Lorsque des personnes l'agaçaient, il tordait avec une certaine violence le mouchoir qu'il avait l'habitude de tenir dans ses mains. » Catherine Lassagne souligne la même possession de soi : « Quoique d'un naturel vif, il était devenu si patient qu'on était étonné de le voir prendre patience au milieu de tant d'importunités. » Un jour que le service d'ordre proteste contre une personne par trop indiscrète, il dit : « ''Vous faites bien tant de bruit !'' — ''Mais, Monsieur le curé, on vous coupe les cheveux !'' — ''Il en reste encore assez'', répond-il avec ce sourire qui quittait rarement ses lèvres. »

Il continue chaque jour de faire son catéchisme. Les dernières années, on a du mal à le comprendre. Sa voix s'est affaiblie. Il a perdu ses dents et cela rend sa prononciation difficile. On se presse d'autant plus, le plus près possible de la petite chaire, pour mieux entendre. Il n'a plus guère que deux sujets auxquels il revient sans cesse : l'eucharistie et l'amour de Dieu. Le frère Athanase en témoigne : « Je me souviens d'une instruction qu'il fit un dimanche... Il n'a presque fait que répéter ces paroles pendant toute cette instruction : "Oh! mon âme, quel est ton bonheur! Quelle est ta grandeur! Nourrie d'un Dieu, abreuvée du sang d'un Dieu!" Sa voix n'était plus la même; quelquefois il poussait des cris; d'autres fois il ne pouvait prononcer que quelques paroles étouffées par ses sanglots. »

Un jour, pendant un quart d'heure il ne cesse de pleurer et de répéter : « Nous le verrons! nous le verrons! O mes frères! Y avez-vous jamais pensé? Nous verrons Dieu! Nous le verrons tout de bon! nous le verrons tel qu'il est... face à face!... Nous le verrons! nous le verrons! »

Et il redit la même espérance : « Au ciel, l'amour de Dieu remplira et inondera tout. Mais l'amour, oh! nous en serons enivrés! nous serons noyés, perdus dans cet océan de l'amour divin, anéantis, confondus dans cette charité du cœur de Jésus! »

Les dernières années de sa vie, il semble qu'à son don de serviteur du pardon de Dieu, il ait joint de plus en plus la grâce de savoir consoler, réconforter, donner des raisons de vivre. Ainsi, en 1855, le comte et la comtesse des Garets voient mourir deux de leurs fils d'une vingtaine d'années, à quelques mois de distance. Madame des Garets est effondrée. M. Vianney est pour elle un constant soutien et il l'aide puissamment à conserver l'espérance. Et parmi les pèlerins, lorsqu'on recueillera des témoignages en vue de l'ouverture du procès de béatification, innombrables seront ceux qui écriront pour dire quel courage le vieux prêtre avait su leur communiquer dans l'épreuve.

M. Toccanier, qui pense certainement à ce que deviendra Ars après la mort de son curé, voudrait construire une grande et belle église en l'honneur de sainte Philomène. Le pèlerinage pourrait s'y dérouler sans encombre et un tel sanctuaire pourrait continuer longtemps à attirer les pèlerins. M. Vianney se laisse convaincre. Il examine les projets de l'architecte Pierre Bossan et du sculpteur Émilien Cabuchet qui est devenu l'un de ses familiers. Leur rencontre a cependant mal débuté ! Cabuchet souhaite faire un buste de Jean-Marie. Mais celui-ci refuse absolument de poser, et même de se laisser photographier. Alors, pendant le catéchisme, Cabuchet modèle des doigts un petit bloc de cire caché dans son chapeau. Le curé s'en aperçoit et l'interpelle avec vivacité. Il lui dit : « Vous feriez mieux de me faire une tête de chien », mais il demande à voir l'esquisse et se radoucit : « Je crois qu'il est un peu moins carnaval que les autres. » Et il n'en parle plus. Ce petit buste de cire est le seul portrait authentique que nous ayons de lui. Tous ceux qui l'ont connu sont unanimes à en louer la ressemblance et l'expression.

En 1859, Jean-Marie s'affaiblit beaucoup. Il a

maintenant soixante-treize ans. Il est obligé de s'appuyer sur le bras de l'un ou de l'autre de ses aides pour aller du presbytère à l'église. Il ne se fait guère d'illusion sur son état. En juillet il remet à l'abbé Toccanier le montant de son traitement en lui disant : « Tenez ! Ce sera pour payer mon enterrement. » Cet été, la chaleur est très lourde. Il y a foule à Ars. Il reste encore des heures à son confessionnal.

Le 28 juillet, après la prière du soir, il vient dire bonsoir aux petits garçons de l'école des frères ; il s'assoit au milieu d'eux dans le jardin, et il les bénit tous avec beaucoup d'affection.

Le 29, il se lève à minuit et part pour l'église. A midi, il est si épuisé qu'il demande un peu de vin. Cependant il retourne à son confessionnal. Mais il doit rentrer au presbytère plus tôt qu'à l'habitude. Le lendemain, il se lève, s'habille, mais s'effondre. Catherine accourt et prévient l'abbé Toccanier. On le convainc de s'allonger. Les intimes se rassemblent. Jean-Marie garde toute sa lucidité. Il fait venir trois pèlerins qu'il avait rencontrés la veille et qu'il n'avait pas encore confessés. Il les écoute depuis son lit et leur donne l'absolution. Dans l'église, la prière de tous est permanente pour obtenir de Dieu son rétablissement.

Le 1er août, il fait encore plus chaud. Paroissiens et pèlerins se mobilisent : « Le désir de lui conserver la vie leur avait fait imaginer, pour entretenir la fraîcheur dans la cure, de l'entourer depuis le toit jusqu'en bas de grandes toiles qu'ils arrosaient par intervalles avec des seaux d'eau. On faisait la chaîne comme pour un incendie. »

Statue d'Émilien Cabuchet, dans la chapelle où est conservé le cœur du saint.

Le mardi soir 2 août, entouré de tous les missionnaires, il reçoit l'extrême onction et l'eucharistie. Il répond lucidement aux prières, puis il pleure : « Êtes-vous plus fatigué ? » lui demande-t-on. « Oh ! non ! répond-il, je pleure en pensant combien Notre Seigneur est bon de venir nous visiter dans nos derniers moments. »

Les pèlerins sont toujours massés en prière dans l'église et très nombreux dehors, devant le presbytère. Le curé les bénit tous depuis son lit, à plusieurs reprises, ainsi que des corbeilles remplies de chapelets, d'images, de médailles et de petits crucifix.

Catherine Lassagne souligne qu'il garde « un calme et une sérénité parfaite ». Dans la soirée, Mgr de Langalerie arrive ; il se jette à genoux près du lit du mourant et lui dit quelques mots affectueux. Jean-Marie le reconnaît, mais il ne peut plus parler ; alors, il prend de sa main la croix pectorale de l'évêque et la pose sur ses lèvres. Puis il perd peu à peu conscience. Le jeudi 4 août, à deux heures du matin, il meurt paisiblement.

« Ainsi finit la vie de sacrifice du grand serviteur de Dieu » constate simplement dans son mémoire la fidèle Catherine Lassagne.

Saint Jean-Marie Baptiste Vianney a été canonisé le 31 mai 1925 par le Pape Pie XI.

Bibliographie

Cet ouvrage est une version simplifiée et abrégée de :

Marc JOULIN, *La vie du curé d'Ars*, DDB, 1986.

On consultera avec intérêt :

Bernard NODET, *Curé d'Ars pensées*, DDB (nombreuses rééditions).

B. NODET et A. MAPPUS, *Le curé d'Ars par ceux qui l'ont connu*, O.E.I.L., 1986.

René FOURREY, *Jean-Marie Vianney curé d'Ars, vie authentique*, DDB, 1981.

Daniel PEZERIL, *Pauvre et saint curé d'Ars*, Seuil, 1959.

André DUPLEIX, *Comme insiste l'amour, présence du curé d'Ars*, Nouvelle Cité, 1986.

Table des matières

« Petite vie de... »

6ᵉ édition - 14ᵉ mille

Achevé d'imprimer le 10 avril 1996
dans les ateliers de Normandie Roto Impression s.a.
61250 Lonrai
pour le compte des Éditions Desclée de Brouwer
Nº d'imprimeur : 960642
Dépôt légal : avril 1996

Imprimé en France